UN HOMME DISPARAÎT

J.-B. PONTALIS

UN HOMME
DISPARAÎT

récit

nrf

GALLIMARD

Il a été tiré de l'édition originale de cet ouvrage vingt-cinq exemplaires sur vélin pur chiffon de Lana numérotés de 1 à 25.

Pour Laure, Guillaume et Jenny

et

À la mémoire de mon père

On ne sait plus qui sont ces passants de l'automne
Mais sais-tu qui tu es ?   Mais sais-tu d'où tu viens ?
Es-tu vraiment toi-même ?   Quelqu'un qui serait toi ?

Es-tu le souvenir d'un autre que tu fus ?
Es-tu sûr d'être là ? Et si tu n'es pas là
qui est cet étranger qui parle avec ta voix ?

Claude Roy

J'ignore son nom. J'ignore tout de lui.

Habite-t-il la même rue que moi, une rue qui mène vers la Seine ? Ou loin de mon quartier ? À l'autre bout de la ville ? Ou nulle part ? Je n'en sais rien. Je sais seulement que cela fait longtemps que je le croise.

Lui aussi a fini par s'en apercevoir. Il a ébauché un sourire dans ma direction. Une autre fois, il m'a adressé un signe de tête. Puis un « Bonjour » puis un « Bonjour, comment ça va ? ».

Un jour est venu où nous avons échangé quelques mots, de ceux qu'on adresse à un inconnu familier : « Ça y est, c'est l'automne qui s'annonce. »

Nous nous étions retrouvés assis à la terrasse du *Café de l'Oubli*. J'y passe un moment presque chaque jour, c'est son nom qui m'attire. Un soleil encore doux nous réchauffait, les feuilles des arbres viraient au roux, retardant le temps où elles tomberaient sur l'asphalte, le vent était léger, repoussant délicatement les nuages.

Ces mots tout bêtes : « Voici l'automne », nous les avons prononcés ensemble, comme d'une seule voix, ce qui nous a fait rire.

Puis ce fut entre nous le silence.

Bizarrement, j'ai l'idée que cet homme attend de moi quelque chose, qu'il attend non que je le questionne mais que je lui parle. Et moi, attendrais-je quelque chose de lui ?

Qui est-il ? D'où vient-il ?

Il ne porte jamais de manteau même quand il fait froid. Une large écharpe en grosse laine lui suffit comme à moi pour se protéger. Nous marchons tous deux d'un bon pas, quoique un peu raide.

Parfois, je me dis que cet homme marche vers la mort et qu'il le sait. Il sait qu'il va bientôt mourir. Il n'est pas très âgé – la cinquantaine, peut-être moins, peut-être plus, impossible de lui attribuer un âge –, il paraît vigoureux mais il sait que ses pas le mènent vers la mort, il sait qu'il va bientôt mourir.

Parfois aussi, plus absurdement encore, je me dis qu'il est déjà mort et qu'il vient de temps à autre faire un tour parmi nous : une sorte de revenant en somme qui, à l'occasion, ferait surface dans nos rues, dans la mienne. Incognito. Histoire non de s'assurer qu'il n'a pas été oublié mais de voir si on le reconnaît, si je, peut-être, le reconnais.

Tout à l'heure, je l'ai aperçu de l'autre côté de la rue. Un autobus venait de lui passer sous le nez. Il attendait le suivant, un journal défraîchi à la main. J'ai traversé la rue, je voulais l'approcher, le rejoindre, rester à ses côtés : un mouvement très fort, irréfléchi. Et puis, je me suis repris et me suis borné à le saluer poliment. Redoutais-je de ne saisir qu'une ombre ?

L'autobus vert est arrivé, celui qui va à la Bastille, s'arrête au Père-Lachaise, a son terminus place Gambetta. L'homme monte, après un moment d'hésitation. Les portes en accordéon se referment. Il disparaît parmi les passagers, avec un singulier sourire, comme s'il voulait, lui dont je jurerais qu'il ne possède rien, se faire du premier venu un ami avant de le quitter, ce sourire en retrait de ceux qui partent, sont déjà ailleurs, un sourire dont j'aimerais croire qu'il s'adresse à moi, qui reste là, en arrêt, sur un trottoir mouillé de pluie.

Pourquoi ne l'ai-je pas suivi ?

Soudain toute la ville n'est plus comme lui qu'un fantôme.

L'appartement est vide. B. est partie quelques jours auprès de son père avec les enfants. Je ne me sens pas chez moi, j'erre d'une pièce à l'autre. La télévision ne fonctionne pas. Tant mieux : je ne veux pas que d'autres images, inconsistantes, chassent celle qui m'occupe. Car le trouble persiste.

Est-ce à la fin de cette journée d'automne, après que j'ai vu l'homme disparaître dans l'autobus, que l'envie d'écrire m'est venue ? Elle m'avait quitté depuis longtemps. Ou bien elle était demeurée en souffrance.

Il y a sur ma table un grand cahier dont toutes les pages sont restées blanches. Je l'ouvre. J'écris ces mots : « J'ignore son nom. » Rien d'autre. Je ne peux écrire que ces mots-là.

Je suis soumis à la même impulsion que celle qui m'a saisi quand subitement j'ai été attiré par l'autre côté de la rue, voulant rejoindre cet homme, ce presque inconnu qui ne m'était rien. D'où m'était venue alors la conviction folle, fragile mais intense, que, ce presque inconnu, je le connaissais depuis toujours ?

La même impulsion, puis le même arrêt. J'ai fait un pas vers l'autre côté et me suis arrêté. J'écris : « J'ignore son nom » et je tombe en arrêt.

Le lendemain, je n'y pense plus. Les miens

sont rentrés. Le travail a repris et l'ordre du jour retrouve sa place. Avec ce qu'il offre, malgré les surprises qu'il réserve, de familier.

Pourtant, de temps à autre, sans préavis, à des intervalles espacés, la vision de l'homme montant dans l'autobus puis échappant à ma vue, cette vision s'impose et, avec elle, la même interrogation : Qui est cet homme ? Qui est cet homme pour moi ? Quelle est cette ombre ?

Des jours passent, des nuits surtout, qui m'entraînent dans un flux continu d'images dont le sens m'échappe. Parfois, au réveil, comme pour émerger de ce flux, me vient une injonction que je m'adresse à moi-même : Il faut absolument que j'écrive cette histoire. Quelle histoire ? L'histoire de qui ? Je n'en sais rien. Je veux seulement qu'à la place de la vision dont la persistance me lasse, mais dont je crains en même temps que l'intensité ne faiblisse, vienne une histoire. Une histoire qui déploiera l'image, qui peut-être me délivrera de sa fixité.

Cela fait maintenant des mois que je ne le croise plus dans la rue, que je ne l'aperçois plus au *Café de l'Oubli*.

Le projet tarde à prendre forme, l'injonction à se préciser : J'écrirai l'histoire de... de celui-là... d'un homme qui, lui, porterait un nom, d'un homme que j'aurais réellement connu, avant que, lui aussi, je ne le perde de vue, avant que, lui aussi, ne devienne un fantôme.

17

Je dois le dire, celui-là, je dois lui donner la parole, me mêler à ceux qui l'ont approché, aimé, croisé avant moi, je dois l'inventer, je dois le rêver. À partir des bribes que j'ai recueillies, avec ce qui me reste de lui : peu de chose. Oui, c'est cela, le recomposer avec des restes. De lui, de moi, de tout un chacun je ne dispose jamais que de restes.

Je ne raconterai pas une vie. Je n'ai aucune idée de ce que peut bien être une vie, la mienne ou de qui que ce soit. Ce seront des fragments, ce ne pourra être que cela.

Ici et là des blancs. Des lacunes. Des ruptures. Et entre lui et moi, des passages.

Je ne veux pas écrire un roman. Je veux avancer vers celui que j'appelle Julien Beaune sans savoir où je vais, sans savoir ce que je vais trouver et perdre en suivant ses traces. Julien Beaune, celui que je vois dans mon miroir quand le commencement du jour se confond avec sa fin.

Je veux donner des contours à une ombre portée.

I

Celui-là

1

Julien Beaune et Samuel Friback sont voisins de classe. L'an passé, en cinquième, ils se sont partagé le prix d'excellence. Aujourd'hui c'est la composition de récitation.

Les élèves sont interrogés suivant l'ordre alphabétique. C'est maintenant le tour de Friback. Il monte sur l'estrade devant le tableau noir. Friback est le plus petit de la classe. Il porte une chemise à manches courtes qui découvre des bras longs et maigres. Une mèche lui cache une partie du visage. Ses yeux sont d'un noir intense. Samuel ne regarde personne, ni le professeur ni ses camarades. Chacun ignore vers quoi est tourné son regard.

Il commence à réciter. Très vite il quitte l'estrade étroite dont le plancher craque, il se transporte sur une scène immense, les trois coups ont été frappés, le rideau rouge s'écarte lentement et voici qu'une voix grave, puissante s'élève de ce corps grêle, qu'il avance de quelques pas et que son regard s'oriente vers la salle de classe comme vers celle, obscure, d'un théâtre.

Me cherchiez-vous Madame
Un espoir si charmant me serait-il permis ?

Il fixe maintenant des yeux M. Cochard que rien depuis six mois n'a jamais égayé et dont les élèves observent sous la chaire les jambes sans cesse secouées de tremblements. Il hésite, il répète en s'adressant au professeur :

Un espoir si charmant me serait-il permis ?

Il y a de l'insolence, de l'ironie dans son sourire. L'homme triste, soulevant ses paupières lourdes, le dévisage, hébété, hostile.

D'abord admirative, médusée par le récitant, toute la classe maintenant s'esclaffe. C'est sur tous les bancs l'éclat de rire et, comme revenu parmi les spectateurs, cessant d'être l'acteur égaré dans sa déclamation, Friback se met à rire lui aussi.

M. Cochard s'est levé : « Friback, ça suffit ! » Alors le professeur, la main tendue, le geste large, la voix ample — à son tour il s'est transporté sur la scène, il s'est transmué en héros de tragédie —, alors M. Cochard s'écrie : « Friback, Samuel Friback, je vous souhaite du malheur dans votre vie. » Il reprend, se parlant à lui-même cette fois : « Du malheur dans votre vie. » Puis, comme terrassé par son imprécation, il s'affaisse sur sa chaise et sanglote.

Ils n'avaient jamais vu un homme pleurer. Ils n'avaient jamais entendu maudire un enfant.

Plus tard, un jeune surveillant venu remplacer le professeur pendant quelques semaines apprit aux élèves que M. Cochard avait combattu pendant la Grande Guerre et qu'il en était revenu gazé. « C'est un homme fatigué, épuisé, au bout du rouleau. » Il ajouta aussitôt comme s'il en avait trop dit : « Mais un excellent professeur. »

De quoi eurent-ils honte ce matin-là ? Ils ne savaient pas qu'il fallait prendre soin des pères.

Samuel Friback et Julien Beaune sont assis au premier rang près de la porte. Ainsi sont-ils les premiers à s'évader.

Julien accompagne Samuel jusque chez lui avenue du Roule. Ils s'arrêtent devant la boulangerie qui est en bas de l'immeuble. Puis ils rebroussent chemin. Parfois, dissimulés sous une porte cochère, ils lancent des bombes algériennes ou braquent leurs revolvers à amorces vers de belles dames à talons hauts. Elles perdent un instant l'équilibre et les traitent d'espèces de voyous, eux, les enfants trop sages. Ou bien ils font halte sur un banc, ils y déposent leurs cartables chargés de cahiers et de livres, puis savourent leurs petits pains au chocolat encore tièdes.

Il leur arrive de croiser l'homme au chapeau de feutre noir, au col cassé et à l'air parfaitement idiot qui se promène chaque jour à la même heure sur le large trottoir de l'avenue bordée de platanes. On leur a dit que c'était le plus grand physicien de son temps. L'homme les salue parfois, soulevant son chapeau, comme s'ils siégeaient auprès de lui à l'Académie des sciences et avaient dans leur laboratoire résolu les énigmes de l'univers.

Ce qui les excite par-dessus tout, c'est de déposer des lettres d'amour à l'entrée et au fond du square Chéret. Habitent là deux actrices de cinéma dont ils sont allés voir les films le jeudi aprèsmidi. L'une porte des robes moulantes en satin qui laissent entrevoir ses longues jambes soyeuses tandis qu'elle marche vers un téléphone blanc, un fume-cigarette nacré toujours entre ses lèvres. Elle rendait fous, hagards puis serviles les hommes qui s'éprenaient d'elle, des braves pourtant, des solides – des officiers, des alpinistes, des explorateurs s'aventurant chez des peuplades sauvages... L'autre était blonde, elle chantait : « Qu'il doit être doux et troublant, l'instant du premier rendez-vous où le cœur s'envole en frissonnant vers le mystè-è-ère. » Elle courait à travers champs, y cueillait des fleurs et son sourire donnait de la lumière tout autour d'elle.

Comment choisir entre la femme fatale de l'ombre et la jeune fille lumineuse ? Elles portent le même prénom. Samuel et Julien ne choisissaient pas. Un jour, c'était dans la boîte aux lettres de la sensuelle ravageuse que Samuel déposait son message amoureux et Julien glissait alors le sien sous la porte de la toute douce. La fois suivante, c'était l'inverse.

Ils quittent le square Chéret comme des voleurs qu'affolerait leur audace.

Ils attendirent des mois avant de recevoir des photographies dédicacées avec ces seuls mots : « À M. Friback, à M. Beaune, sans rancune », suivis des deux signatures. De toute façon, c'était trop tard : leur passion s'était portée sur les coureurs du Tour de France. Là encore, ils ne se résolvaient pas à choisir : le meilleur grimpeur et l'invincible sprinter se partageaient successivement leurs faveurs.

Samuel et Julien n'auront jamais de vélo de course.

Dans leur lycée, il n'y a que des garçons. Ceux qui ont des grandes sœurs ne s'empressent pas de le faire savoir, moins encore de les montrer.

Dans les couloirs, quand les élèves alignés en rang attendent la venue du professeur, on entend parfois crier : « La France aux Français. » Le surveillant laisse crier. Vergnaud dit à l'oreille de Julien : « Tu sais, j'ai compté. Il y a cinq Juifs dans la classe. » Friback l'entend. « Avec moi, ça fait six. — Ne t'inquiète pas, je ne t'ai pas oublié. » Julien laisse dire. Vergnaud est un gentil garçon, toujours prêt à rendre service. Il est le premier en gymnastique et obtient le prix de camaraderie.

Le jeu préféré des jeunes élèves dans la cour

de récréation est la balle au chasseur. Julien s'emploie à être aussi maladroit que Samuel.

Ils portent tous deux des chaussettes de laine qui leur tombent en tire-bouchon sur les chevilles. Pour les faire tenir, leurs mères ont confectionné des élastiques qui laissent une marque sur le mollet.

Le dimanche, Julien le passe avec sa mère, Samuel avec la sienne. Le samedi, après le cours de M. Cochard, ils ont du mal à se séparer. Dix fois, vingt fois, ils font l'aller et retour d'un domicile à l'autre.

Ils ont toujours du mal à se séparer. Il arrive que le surveillant général, dit Clarinette, se moque d'eux quand ils franchissent la grande grille du lycée : « Alors, les inséparables ! » M. Lassale est un sale type, un con. Il a une voix de fausset. Il est né et mourra dans une caserne. Au café-restaurant *Le Gévaudan,* il commande une côtelette de porc avec pour garniture des choux de Bruxelles. Samuel et Julien, pour ne pas s'entendre traiter d'inséparables par cet homme exécrable, franchissent la grille du lycée chacun de son côté. Ils se retrouvent plus loin, sur le boulevard, hors de portée de la voix et du regard du surveillant.

Samuel Friback *Me cherchiez-vous Madame ?* n'est pas revenu du camp où il fut déporté avec sa mère au cours du printemps 1944.

26

M. Cochard est mort quelques semaines après d'un cancer du poumon.

Et, bien des années plus tard, Julien Beaune est devenu médecin.

2

Ils ont pris le B.E. à la porte des Ternes, Julien aurait préféré monter dans la nacelle du ballon qui emporta Gambetta. Ils sont descendus à République et ont pris un autre autobus vert qui doit les mener là où ils vont tous les dimanches matin.

Il pleut. Julien trouve de la douceur à la pluie comme au chagrin quand il cesse d'être douleur pour entrer en convalescence.

Sa mère lui désigne une place libre à l'intérieur. Il feint de ne pas la voir. Debout sur la plate-forme, des hommes regardent les rues grises et presque vides. Ils fument, accoudés à la barre d'appui courbée comme au bastingage du pont arrière d'un paquebot. On dirait qu'ils voyagent, que ce sont des émigrants traversant l'Atlantique. Il veut rester parmi eux, émigrer avec eux. Le pays où ils débarqueront sera immense, s'étendra à perte de vue, personne n'en connaîtra les fron-tières. Ce continent n'aura pas de nom.

À l'intérieur, il y a des femmes seules, quelques couples inertes. Ils ne se parlent pas. La mère tient un chrysanthème sur ses genoux, enveloppé dans de la cellophane. Elle l'a acheté tout à l'heure chez la fleuriste de la rue d'Armaillé, elle prétend qu'il y a là plus de choix et pourtant elle achète toujours le même.

Ce n'est pas que Julien ait honte de sa mère. Mais il aimerait qu'elle soit belle, grande, illuminée par un sourire. Il aimerait qu'elle soit pleine de vie. Il lui en veut de ne pas être une femme charmante. Il n'y a aucune femme grande, belle, charmante dans l'autobus. Elles sont toutes tassées sur leur siège, immobiles, occupées par le souci invisible d'un lendemain qui sera comme hier. Elles ont tué le temps. Toutes des veuves ? Toutes des vieilles filles ? Même les maigres ont le corps lourd. Pensent-elles à l'homme qui ne les attend plus ou au menu du déjeuner qui les attend ?

Rue de la Roquette. Maison d'arrêt. L'arrêt est obligatoire. « Rien que des femmes là-dedans », c'est le receveur qui le dit, ils commencent à se connaître, ils sont tous les deux de service le dimanche matin, il apprend des choses à l'enfant entre deux stations quand il ne remonte pas le couloir central avec son drôle d'appareil fixé par une lanière de cuir sur son ventre. Son outil de travail est un jouet. Julien envie sa chance.

Il sera receveur d'autobus et épousera une fleuriste aux yeux clairs qui ne vendra que des fleurs des champs.

Un homme descend. Il ne porte pas des fleurs dans de la cellophane mais un paquet de papier kraft entouré d'une ficelle qui flotte un peu. Julien le suit des yeux tandis que l'homme traverse la rue, regardant à droite et à gauche, inquiet, bien que la voie soit libre. Son dos est voûté, il le redresse quand il s'approche de la prison. Il tient plus fermement le paquet. Que fera-t-il de sa solitude une fois la visite terminée ?

L'autobus dépose la mère et l'enfant à l'entrée monumentale de la ville des morts. Encore un arrêt obligatoire. Pourquoi y en a-t-il si peu de facultatifs ? La pluie a cessé. Tant mieux, il leur aurait fallu marcher serrés l'un contre l'autre sous le même parapluie. Et ils ne vont pas rendre visite au même mort. Il n'y eut jamais d'amour entre le père et la mère. Julien en a décidé ainsi. Il veut garder son père pour lui seul. Il sera son gardien.

La plupart des cimetières de Paris portent des noms de ce qui fut un village : Montmartre, Clichy, Passy, Picpus... Peut-être gardent-ils quelque odeur de la campagne, peut-être y pousse-t-il encore de hautes herbes où courent des lapins. Mais celui-ci porte un nom que l'enfant prononce sans le comprendre. De qui le Père Lachaise est-il le père ? Si c'est un homme, pourquoi l'avoir réduit à une chaise ? Il ne consent pas à réduire son père.

Chaque dimanche matin, il voit ces mots inscrits, déjà presque effacés, au dos de certaines pierres : *Concession à perpétuité.* C'est un cimetière de propriétaires. Avant, ils avaient des biens : un appartement dans les beaux quartiers, avec des rideaux lourds, des guéridons, des livres reliés qu'ils n'ouvraient pas, une villa sur la côte normande où ils faisaient le compte de leurs petits-enfants ; dans un coffre-fort, ils avaient déposé les bijoux de leur épouse. On s'est disputé furieusement leur héritage, fâché à vie autour d'un tableau de petit maître, de couverts en argent, d'un verger attenant à la villa indivise. Et on leur a concédé un dernier bien : une tombe. Qu'ils y restent surtout, à perpétuité, comme ces mauvaises femmes enfermées à la Petite-Roquette ! Qu'ils ne s'avisent pas de revenir ! Eux qui se plaignaient, les derniers temps, d'avoir une mémoire exécrable, qu'ils n'aillent pas oublier qu'ils sont morts. Une fois pour toutes.

Des allées qui portent des numéros, des divisions comme des arrondissements. Les noms sont réservés aux tombes. Parfois des noms que Julien a appris en classe : Balzac, Molière, Murat. Des noms qui font se chevaucher les siècles. La logique ici est bien étrange : un temps qui confond les temps, mêle les morts ; et un espace, mieux quadrillé que celui d'une ville, qui les sépare, les répartit, chacun dans sa boîte, et chaque famille avec ses haines inexpiables sous la même stèle.

L'enfant ne peut rien dire à celle qui marche avec lui, son pot de chrysanthème à la main. Elle non plus ne peut rien dire. Ce mutisme serait-il leur concession à perpétuité ? Ils survivront seuls, indéfiniment, l'un à côté de l'autre. Julien refuse cela. Soudain il est saisi d'une fringale, il a envie de courir. De courir après l'autobus, de rejoindre le receveur, d'émigrer dans le pays immense.

Ils approchent. À vingt mètres à droite de Molière, c'est là. Un peu avant les généraux d'Empire qui sont tous regroupés dans un même quartier. Ce sont des monuments considérables, verticaux, des mausolées édifiés à leur seule gloire, à qui sera le plus haut ! Leur pierre à eux, celle sous laquelle est enfoui le père, est horizontale.

On a voulu mettre de l'ordre ici mais on n'y parvient pas : la plupart des tombes sont recouvertes par le lierre, comme pour mieux emprisonner. D'autres ne sont plus que des trous évidés. N'y a-t-il donc pas moyen d'administrer convenablement le grand fouillis des morts ?

À quelques pas d'eux, en contrebas – là où ils sont, le cimetière est en pente, l'enfant imagine des torrents de pluie, des coulées de boue qui feraient dévaler ces milliers de cadavres dans la ville d'en bas, mer qui romprait les digues –, il entend, venus de tout près, des chuchotements, le crissement d'un balai, le bruit d'un pot fragile déposé sur la pierre. « Fais attention, mon petit, un peu plus sur la gauche. Là, c'est bien. » La voix passe par le nez, elle y reste, elle est celle de l'institutrice à l'école, elle est celle d'une autre mère, avec un autre enfant. « Et maintenant, il faut prier. » « Et maintenant, la dictée. » On doit se mettre à genoux pour prier. Les vivants debout, les morts couchés. Et les survivants, de temps à autre, le dimanche matin de préférence, quittent la tiédeur de leurs lits pour se mettre à genoux et s'assurer que les morts sont bien là où ils sont. À leur place.

La mère demande à Julien de balayer les feuilles. Elle s'arrête avant de prononcer « mortes ». Il ne faut pas que le mot mort et le mot balayer se touchent.

3

Le matin du dimanche, en attendant que sa mère soit prête à aller chez le fleuriste et à prendre le B.E., Julien, aussitôt avalé son bol de chocolat, sort ses soldats de plomb, ses cubes de leurs boîtes en carton et ses billes de leur sac de toile.

Il organise des batailles acharnées, édifie des forts avec ses cubes, les billes servent de projectiles. Il mime les corps à corps à l'arme blanche. Loin derrière la ligne de front, un hôtel accueille les amours des officiers avec des infirmières qui, pour un moment, retirent leurs voiles.

Les simples soldats sont restés dans les tranchées. Ils tombent de sommeil. Les canons tonnent.

Tout se mélange dans la tête de Julien : la boucherie, le champ d'honneur, les barbelés, l'as Guynemer abattant ses frères ennemis comme il tirait auparavant sur des perdreaux ; les poilus, les embusqués, les civils ; les cratères d'obus, la boue, la gnole, la mitraille, les godillots, les mines qui explosent sous les pieds, les rats, les camarades qui tombent les uns après les autres. Cent morts pour cent mètres gagnés.

Il connaît la valeur des décorations : Croix de guerre, Croix de guerre avec palmes, Médaille militaire, Légion d'honneur. Il sait distinguer section, compagnie, bataillon, régiment, tactique et stratégie.

Il voit les chirurgiens amputer les blessés. Il porte les civières. Il plante des croix dans la terre molle.

Il lance des grenades et des cris furieux. Ou il sanglote terré au fond d'un trou. Personne à appeler, personne qui puisse lui porter secours. Alors il se précipite au-dehors, sous le feu de l'ennemi, dans ce qui fut sans doute un champ de blé. Il hurle « En avant ! » alors qu'il rêve de se blottir dans les bras d'une femme, d'enfouir son visage entre les seins lourds de sa marraine.

Sa mère va entrer dans sa chambre : « Qu'est-ce que tu fabriques encore ? Toujours à jouer avec tes soldats. Dépêche-toi, nous allons être en retard. » En retard pour quoi ? Pour déposer le chrysanthème, balayer la pierre tombale ? Julien interrompt ce qu'il n'aime pas appeler son jeu. Il le reprendrait le soir avant d'apprendre sa leçon d'histoire pour le lendemain. Les guerres napoléoniennes ne l'intéressent pas. Pour lui il n'y a jamais eu qu'une guerre et elle n'a qu'un nom : *la Grande Guerre.*

Il connaît les lieux des batailles. Certains lui

paraissent insolites. Le *Chemin des Dames*, par exemple. Comment des soldats résolus à tuer et prêts à mourir avaient-ils pu emprunter ce chemin-là ?

Des numéros de *L'Illustration* reliés en toile rouge et rangés sur l'étagère du salon lui ont transmis une foule d'images. Toutes héroïques. Julien décide que la guerre illustrée est mensongère. D'un jet de billes, il cloue au sol toute la première ligne de ses soldats.

Le père, lui, ne parlait jamais de ces années-là. Mais Julien savait. Sa marraine lui avait dit plus d'une fois quand elle l'emmenait au cinéma voir les films de Laurel et Hardy que son père avait fait une « belle guerre ». Mais ce n'était pas à elle de le dire, ce n'était pas l'affaire des dames. Elles n'y comprenaient rien. Lui seul comprenait. Laurel était moins naïf qu'il ne le laissait paraître. Le grand physicien au petit chapeau lui ressemblait.

Julien Beaune apprit plus tard que sa marraine, Mme Duvigier, qui lui avait donné une valise en cuir incrustée de ses initiales pour son anniversaire, avait été une des maîtresses de son père.

Il découvrit aussi d'autres illustrations dans des revues, des livres dissimulés au fond d'un placard. Des illustrations libertines. Julien est content que son père ait eu ces livres-là. Il les lit en cachette dans son lit quand sa mère ne risque pas d'entrer et de lui demander : « Qu'est-ce que tu fabriques encore ? »

« Au cours de l'attaque du 11 juillet 1916 s'est offert spontanément, dans un moment critique, pour reconnaître les tranchées envahies par l'ennemi. »

« S'est porté à l'assaut le 16 avril 1917, avec un entrain endiablé et a fait de nombreux prisonniers. »

« Officier plein d'entrain, d'intelligence et d'énergie, a brillamment conduit deux compagnies à l'attaque, le 20 août 1917. »

« Vaillant officier qui a fait preuve des plus belles qualités de bravoure et de dévouement. »

Il connaît par cœur le texte des citations. Il pressent que son père a connu là les plus belles années de sa vie. Il en a même la certitude. Le reste à côté faisait pâle figure. François Beaune avait fait de son mieux pour que la vie civile ne soit pas, face à la Grande Guerre, une petite vie avec ses petits plaisirs, sa prudence, son ennui, une vie de planqué. Il avait cherché le risque : les voitures rapides, les tables de jeu et, parmi les femmes, celles qui étaient les plus difficiles à gagner. Il dépensait tout l'argent qu'il recevait et même beaucoup plus. Il rentrait tard dans la nuit.

Il se souciait de son élégance aussi. Il portait

des nœuds papillons et des costumes de flanelle grise. Elles étaient impeccablement cirées, les chaussures de l'homme qui avait vécu des jours et des nuits dans la boue. Les chemises en popeline se comptaient par douzaines. Quand il fumait son cigare dans la voiture, jamais Julien n'osait dire que l'odeur l'écœurait. Tout ce qui venait de son père était bon. Un matin, en entrant dans la salle de bains, il a vu son sexe. Il a été impressionné par sa dimension.

François Beaune avait combattu dans un bataillon de chasseurs à pied. Il avait envisagé de rester dans l'armée après deux ans de service militaire, quatre ans de guerre. La mère n'avait pas voulu. Elle se refusait à ce qu'on l'appelât en fin de carrière « Madame la Colonelle » et elle était peu douée pour le bridge.

Il arrivait parfois au père de dire en lisant son journal : « Ces sales Boches. » Il pouvait être de très mauvaise humeur. Mais le plus souvent il paraissait se foutre de tout.

Pourquoi, sur la tombe du Père-Lachaise, le nom de François Beaune est-il précédé du mot Lieutenant ? Est-ce lui qui l'a demandé ? Mais il est mort trop jeune, trop brusquement, il était trop indifférent au lendemain pour avoir rédigé un testament. La mère aurait-elle deviné qu'il n'avait jamais connu d'autre compagne proche, véridique, que sa guerre, celui dont elle disait :

« Que veux-tu ? Ton père était un homme à femmes. » Elle, la femme sans homme.

Elle ne se faisait pas d'illusions, la mère. Pas assez. Elle était occupée par quelque chose que Julien ignorait, qu'elle aussi sans doute ignorait. Par quoi donc était-elle occupée ? Julien scrute le visage de sa mère. C'est un visage fermé. Même quand un sourire l'anime, il ne laisse rien entrevoir de ce qui est déposé à l'intérieur, comme dans un coffre-fort. Julien n'en a pas la clé. Il ne la trouvera jamais.

4

L'appartement de l'avenue du Roule où habite Samuel Friback donne sur une cour. Samuel n'a jamais proposé à Julien d'y entrer. Il lui a seulement montré deux fenêtres étroites au dernier étage : « C'est ici. » Les volets sont en fer. Julien sait que Samuel est enfant unique et vit là avec sa mère qui exerce à domicile son métier de couturière.

Souvent Samuel déclare : « Je vais rentrer, elle m'attend. » Et, le jeudi, il lui arrive de manquer les séances de cinéma : « Excuse-moi, mais je sors avec maman. » Ou bien : « Elle ne travaille pas cet après-midi. Je ne vais quand même pas l'abandonner. »

Ces mots étonnent Julien que n'a jamais effleuré l'idée qu'il pourrait par sa seule présence donner du plaisir à sa mère.

Du père de Samuel il n'est pas question. Est-il mort lui aussi ? S'est-il suicidé après avoir fait faillite ? A-t-il été attiré par une femme fatale au téléphone blanc ? Par celle des premiers rendez-vous quand « le cœur s'envole » ? À moins que Samuel n'ait jamais eu de père. Sur la liste des locataires de l'immeuble on lit : Lucie Friback, couturière.

Julien se demande ce que ça pourrait bien être, un enfant sans père, un fils qui ignore le nom de son père.

Une fois, alors que, assis sur un banc de l'avenue, ils observent le grand physicien qui s'approche d'eux à petits pas et soulève son chapeau, Julien ose poser la question : « Qu'est-ce qu'il fait ton père ? » Samuel coupe court : « Ne m'en parle pas, s'il te plaît. » Il y a tant de violence dans le ton de Samuel que Julien n'insiste pas. Samuel pourra-t-il rester son ami ?

Ils se quittent ce jour-là sans échanger d'autres mots.

Samuel, année après année, obtient le prix d'excellence. Il ne le partage plus avec Julien qui s'est lassé de chercher à qui il pourrait bien faire cadeau de ses résultats. Parfois il s'annonce à lui-même avant de s'endormir : « Premier, vingt sur vingt : Julien Beaune. » Ces mots, prononcés à voix haute, toutes lampes éteintes, résonnent dans le vide. Alors il imagine qu'une jeune femme très douce, qui est toute la lumière du monde, vient au-devant de lui, le serre contre elle et il se dit que, s'il parvient à ne pas se laisser distraire de cette image, elle l'accompagnera tout au long de la nuit. Personne jamais ne pourra lui faire de mal. Uni à cette femme inconnue, Julien sera invulnérable. Depuis quelque temps il ne joue plus à la guerre, les soldats de plomb sont oubliés dans leurs cartons.

Souvent Samuel lui prête des livres : « Tiens, prends et lis ça. » Plus tard, Julien Beaune n'attendra plus grand-chose des livres : il sait qu'aucun roman ne pourra le changer, modifier le cours de sa vie. Cela l'attriste mais c'est ainsi : il est lui, définitivement — réduit, en somme, à sa carte d'identité. Mais, ces années-là, à peine a-t-il fini un livre qu'il en commence un autre, changeant de héros selon les saisons, parfois selon les jours. Il est successivement Pauvre Blaise, Athos, Augustin Meaulnes, Jacques Thibault, le prince Muichkine, tant d'autres qu'il a oubliés depuis.

Il se souviendra toujours de Julien l'Hospitalier couvrant de son corps le corps du lépreux.

Il se souviendra toujours du petit moujik qui veilla sur son maître.

5

Il ne lui était jamais arrivé grand-chose à celui-là. Il n'était ni paresseux ni bête mais se pliait aux usages. Il était compétent dans son domaine, d'un caractère enjoué, d'humeur tranquille. Il avait eu du goût pour les femmes avant de se marier. Il aimait les parties de whist et les rideaux épais qui faisaient des drapés. Sa carrière s'était déroulée sans encombre.

Si, un jour, il lui était arrivé quelque chose : il était tombé d'un escabeau, sans se faire bien mal. Et c'est quelque temps plus tard que commença sa *vraie vie* : un mal inconnu que lui cachèrent les médecins prit possession de lui, lui fit connaître sa douleur, le rendit étranger aux autres − sa femme, sa fille, ses collègues − qui continuaient à vivre comme avant, vaquant à leurs occupations et plaisirs ordinaires. Comme si de rien n'était, et ce n'était pas une affaire d'État en effet : un homme malade, gémissant avec ça, allant mourir et ça n'en finissait pas.

Cet homme est devenu notre familier parce qu'un écrivain très célèbre nous a raconté sa lente agonie. Julien a lu ce récit à quinze ans.

L'homme qui savait qu'il allait mourir trouva son gardien. Son nom : Guerassime. Un nom qui commence rudement et se prolonge en douceur. Il est tout jeune, Guerassime, il n'est pas infirmier, il n'a fréquenté aucune école, il a dû s'entendre souvent traiter de propre-à-rien. Mais il est là, il prend soin de son maître à sa manière, il lui pose les pieds sur ses épaules des nuits entières pour atténuer la souffrance, il vide le bassin sans marquer de dégoût, il a le teint frais, tout cela est naturel, la mort est pour lui chose naturelle. C'est parce qu'il est vivant, tout simplement vivant, sans s'en montrer particulièrement fier, c'est parce qu'il accomplit des gestes de vivant qu'il délivre son maître de la peur qui ne le lâche pas, celle du grand « sac noir ».

Il ignore ce qu'il donne, le moujik. Seul le maître sait ce qu'il reçoit.

Il y a Guerassime. Il y a aussi, pour un bref moment, le fils qui a encore l'âge d'aller au collège. Il entre dans la chambre de l'homme qui n'est plus que douleur, que cris. Le malade s'agite en tous sens et voici que sa main se pose sur la tête du petit collégien qui la porte à ses lèvres et fond en larmes.

«Viens. Ton père te réclame.» La mère est entrée dans la chambre de Julien tout au bout du couloir. Elle a un drôle d'air, soucieux et pourtant elle sourit. Julien vient de boire son chocolat chaud, il finit de préparer son cartable, c'est l'heure de se rendre à l'école.

Il emprunte le long couloir mal éclairé. Il se demande ce que son père lui veut : habituellement, à cette heure-ci, il n'est pas encore réveillé. L'enfant n'a jamais vu son père couché.

Il s'approche du lit, le père gémit doucement. Il est très pâle. Ses mains massent son ventre. Ses veines saillent sur les tempes, là où on lui place les sangsues quand brutalement les migraines le tenaillent. Ses lunettes sont posées sur la table de chevet. Quand il aperçoit son fils qui s'avance vers lui, à pas lents, craintifs, il le regarde un instant de ses yeux voilés de myope. Il dit : « Foutu. Je suis foutu. »

L'enfant ne le verra plus. Il ne sera pas Guerassime.

6

Julien peu à peu s'éloigne de Samuel. Il n'a pas encore décidé de s'éloigner, mais il constate qu'il n'accompagne plus que rarement son ami avenue du Roule. Il l'écoute distraitement quand Samuel, préparant sa composition française, disserte sur Voltaire, de l'affaire Calas, des Lumières.

Le temps des revolvers à amorces, des pains au chocolat, des conversations interminables est révolu.

Julien a maintenant de nombreux camarades. Il passe de l'un à l'autre avec aisance comme il a pu passer sans heurt de la lecture de *Bicot* à celle du *Grand Meaulnes*. Il y a Derigoule pour aller sur le pesage d'Auteuil. Il y a Bonnel pour voir le jeudi trois films américains d'affilée. Il y a Raillard pour se poster à la sortie de l'école secondaire des filles en fumant une cigarette. Il y a Truchet parce que Truchet a une sœur de dix-huit ans qui sourit à Julien et donne de l'éclat à tout le quartier des Ternes. Un jour Julien s'est risqué à lui offrir une boîte de caramels. Elle a dit : « J'adore » puis : « Je vous laisse. Travaillez bien, les garçons. »

Julien trouve Samuel trop sérieux, trop grave. C'est de cette gravité qu'il s'éloigne.

Samuel lui a dit que plus tard il serait professeur. Julien le voit déjà corriger les copies avec le même soin que sa mère prend à confectionner les boutonnières. Julien, lui, s'imagine dans le futur sous n'importe quel vêtement : la toge noire d'un avocat, la bure d'un moine, le maillot coloré d'un coureur cycliste. Ou dans la peau d'un vagabond.

Ses maîtres, qui l'ont jusqu'alors qualifié d'« élève travailleur donnant toute satisfaction », le jugent maintenant dissipé. L'un d'eux a écrit sur le bulletin trimestriel : « Un peu léger pour son âge, manque de maturité », alors que, justement, Julien cesse d'être un enfant et qu'il aimerait être plus léger encore, se délivrer d'un poids. Il ignore en quoi consiste ce poids. Il commence seulement à moins le ressentir.

Samuel ne cesserait jamais d'être l'enfant grave qui veillerait sur sa mère comme elle avait veillé sur lui.

Julien n'a aucune certitude, pas même celle de s'appeler Julien Beaune.

Il devait avoir sept-huit ans. Mme Duvigier a décelé chez son filleul un « je-ne-sais-quoi de chinois » : des yeux en amande, le teint mat, son sourire et son silence. Elle offre à Julien, à l'occasion d'une fête costumée, une tenue de petit Chinois : large pantalon de satin sombre, blouse de couleur vive, couvre-chef noir, natte torsadée. Les mères applaudissent tandis que l'enfant rêve d'une panoplie de cow-boy galopant dans le Far West ou de sapeur-pompier grimpant à vive allure les barreaux de la grande échelle. L'immobilité fait peur à Julien.

Mme Duvigier veut davantage, elle veut une image durable, elle veut que son filleul ait l'identité d'un Chinois. A-t-elle connu en secret, à Shanghai où son mari jadis a été consul, quelque amant inoubliable dont elle n'a pas eu d'enfant ?

Elle prend rendez-vous avec un artiste japonais – « Le Japon et la Chine, c'est du pareil au même » – qui peint avec délicatesse des roses fanées, des femmes qui commencent à l'être et des chats dormeurs. Le portrait exécuté à la va-vite ne satisfait personne. Il ne ressemble à rien. Il est rapidement relégué au fond d'un placard.

Cette mésaventure trouble Julien. Il est heureux que le peintre ait échoué à le représenter sous les traits d'un Chinois mais déçu de se retrouver dans la peau d'un petit Français en culotte courte. Il a le sentiment confus qu'il pourrait être un autre, qu'il n'est pas nécessairement lui. Sa mère le trouve triste. Elle croit découvrir un remède qui, à la fois, consolerait Julien et corrigerait la bévue de Mme Duvigier dont elle se méfie : une « œuvre » dont elle s'occupe propose pour une somme modique l'adoption à distance d'un petit Asiatique. Elle remet un certificat à Julien qui le range soigneusement dans son pupitre. Grâce à sa mère, grâce à lui, un orphelin de Chine n'allait pas mourir de faim, au moins pour quelque temps. Sur la grande carte Vidal Lablache de l'Asie, Julien cherche dans quelle ville pourrait bien habiter son petit frère Su-jin. Il ne connaît de lui que son prénom. Il n'est même pas tout à fait sûr qu'il existe pour de vrai. Pourtant, il se sent tout proche de lui, de ce frère lointain, à des milliers de lieues de sa petite chambre aux volets de fer de la rue Saint-Ferdinand, Paris, XVIIe.

Après quelques mois, Julien n'y pensera plus. Mais quand vingt ans, quarante ans plus tard, il estime qu'un de ses amis lui fait défaut et qu'il est tout prêt à le traiter de faux frère, l'épisode du petit Chinois lui revient aussitôt en mémoire : « Su-jin mon vrai frère », se dit-il sans trop y croire, avec le sourire qui, dans un autre temps, était le sien : l'esquisse d'un sourire de cet enfant qui ne savait à qui l'adresser.

7

Julien et Samuel ne sont plus dans la même classe. Quand ils se croisent dans un couloir, leurs échanges se réduisent à un « Salut, ça va ? ».

La capacité d'oubli de Julien est immense. Il n'en souffre pas. Samuel paraît très sombre. Sa maigreur effraie, on dirait qu'il répugne à se nourrir, ses cheveux noirs dissimulent encore plus les traits de son visage. Il obtient toujours son prix d'excellence. Il est dispensé des cours de gymnastique. Il fréquente le Conservatoire de musique. Quand il voit Julien en compagnie d'Antoine Raillard, il se détourne. Julien pense que Samuel méprise Raillard, et peut-être qu'il le méprise, lui aussi, à moins qu'il ne soit jaloux.

Julien ne se dit pas qu'il s'est éloigné de Samuel, qu'il l'a laissé tomber, que c'est lui le faux frère. Il préfère penser qu'ainsi va la vie, que l'éloignement est dans la nature des choses, qu'il s'accomplit de soi-même sans pouvoir être imputé à personne. Ce sera longtemps la conviction de Julien Beaune. Il ne consent pas à admettre qu'il puisse faire du mal, infliger une blessure, meurtrir à jamais.

8

Mme Beaune ne s'appellerait plus Mme Beaune.

Sa mère annonce la chose à Julien le soir même où ils fêtent son succès au baccalauréat dans un petit restaurant de la rue Pierre-Demours qui s'approvisionne au marché noir. Elle porte un tailleur en toile écrue qui l'amincit. « Je n'ai pas voulu te le dire plus tôt, mais Louis et moi... Il t'aime beaucoup tu sais. »

M. Girard était venu quelquefois dîner dans l'appartement. Il égayait le face-à-face de la mère et du fils. Il apportait une bonne bouteille de bordeaux et racontait des histoires qui faisaient rire. Levant son verre, il évoquait le père de Julien auprès de qui il avait travaillé un temps : « Un type bien, tu sais, on a souvent fait la bringue ensemble. Enfin tout ça, c'est du passé. »

Julien trouvait Louis Girard un peu vulgaire. Il n'aimait pas sa moustache épaisse, ses lèvres grasses avec des miettes de pain restées fixées aux commissures, ni sa manière de s'affaler dans le fauteuil du salon, les jambes écartées, le fauteuil en cuir rouge où le père fumait son cigare. Mais il ne pouvait s'empêcher de trouver sympathique cet homme qui avait de la gentillesse et de la malice dans le regard.

« Tu verras, quand tu le connaîtras mieux, tu l'apprécieras toujours plus, Louis a un cœur d'or. » Elle ajoute : « Et il avait beaucoup d'affection pour ton père. »

Julien ne supporte pas la moindre allusion à son père, d'où qu'elle vienne. Lui-même n'en parle jamais. Il lui parle. Dans ses rêves d'enfant, il l'a longtemps vu revenir, sonner à la porte. Ou bien il le rencontrait dans la rue d'un quartier lointain, il était devenu un vagabond aux vête-ments élimés. Sa solitude était extrême, celle d'un revenant du bout du monde. Julien se portait au-devant de lui.

Ces rêves-là n'apparaissent plus. Les apparitions de la nuit ont cessé. Mais Julien n'a pas cessé de rêver son père. Il le rêve. Il n'en parle pas. En parler serait le partager avec n'importe qui.

Ce soir, à la table du restaurant, son malaise ne vient pas de là : il lui faut subitement regarder sa mère autrement. Il est confronté à quelque chose de proprement inimaginable : sa mère est une femme ! Ces deux êtres s'étaient plu, avaient été attirés l'un par l'autre, ils s'étaient embrassés, avaient couché dans le même lit, ils allaient se marier. Un mariage de raison peut-être, histoire de vieillir ensemble, ou d'intérêt, afin de mettre leurs ressources en commun. Mais quand même. Ils formaient un couple. C'est un mot qu'exècre Julien.

Il cherche sur le visage de sa mère, de celle qui allait bientôt s'appeler Mme Girard, les indices d'une métamorphose. Il n'en trouve pas. Juste un sourire un peu gêné, des paupières tombantes. Au poignet, elle porte un bracelet qu'il ne lui connaît pas. Et c'est avec une grande gentillesse qu'elle demande au serveur, elle, si autoritaire, deux tartes aux pommes. «Délicieuses, tu ne trouves pas ? »

Jamais Julien n'avait vu dans sa mère la femme de son père. Et voici qu'il est contraint de penser qu'elle avait bien dû connaître avec lui aussi ce que dans les romans à quatre sous on appelle de folles nuits d'amour, des étreintes passionnées, des caresses enivrantes...

Pour lui, les femmes de son père, les femmes du Lieutenant François Beaune, c'étaient Mme Duvigier et celles qu'il rencontrait au casino, l'été, qu'il emmenait boire du champagne et danser, et les belles étrangères quand il partait pour plusieurs semaines en « voyage d'affaires », et les provinciales endormies qu'il savait réveiller ou encore les infirmières prévenantes qui l'avaient soigné quand il était revenu blessé du front, celles que le petit Julien avait imaginées accueillant les officiers à l'abri de ses cubes de bois...

Il se souvient des paroles de sa mère : « Ton père, un homme à femmes. » Comme il avait aimé qu'elle ait pu dire cela, sans se plaindre, sans récriminer. Savait-elle qu'elle lui avait donné ce jour-là, avec ce pluriel qui prouvait que François Beaune n'avait jamais été le prisonnier d'une seule, un motif supplémentaire de garder son père en lui, pour lui, comme un être à part, blessé et immortel, qu'il serait à jamais le seul à connaître, à aimer, à aimer vraiment.

Mme Beaune-Girard poursuit. Il lui faut se délivrer d'un coup de l'aveu : « J'ai trouvé un appartement à Boulogne où Louis a son bureau. Ce sera commode pour lui. Ta chambre est au bout du couloir, elle donne sur une petite rue tranquille. Tu verras, tu y seras au calme pour travailler et tout à fait indépendant de nous. — De vous ? — Tu comprends, Julien, si je n'ai pas voulu plus tôt refaire ma vie, c'était pour toi. Mais maintenant, tu vas avoir dix-huit ans, ce n'est plus pareil. »

Julien est ému par cette femme qui quête l'approbation de son fils. Elle n'est plus toute jeune et elle le sait, elle n'a jamais été bien belle et elle en a souffert, cela se voyait déjà sur une photo d'elle, petite fille, maussade, la tête dans les épaules. Comme Louis Girard, Julien lève son verre : « Je te souhaite d'être heureuse, ma petite mère. » C'est la première fois qu'il l'appelle ainsi. Encore un peu gênée, elle lui sourit, d'un sourire que, pour la première fois, il a su faire naître, à moins que ce ne soit Louis, sur ce visage fermé, clos sur l'acceptation du malheur.

Ce que Julien ne dit pas, c'est sa fierté d'être seul désormais à porter le nom de Beaune.

« Votre nom ? – Julien Beaune. » Le reste importe peu. Il se sent libre. Soudain, l'image de Samuel et de Lucie Friback s'impose. Il pense « Délivrez-nous des mères » tandis qu'il ouvre la porte du restaurant et laisse passer sa mère. Juste encore quelques pas à faire ensemble avant que chacun n'aille de son côté.

9

Cet été-là, Julien le passe dans un village du Poitou où les grands-parents d'Antoine Raillard l'ont invité. Sa mère reste à Paris pour préparer le déménagement.

Antoine Raillard se prélasse en classe mais, en vacances, il est infatigable. Julien ignore tout de la campagne. Ils avaient l'habitude, sa mère et lui, de passer le mois d'août à Ouistreham : Mme Beaune se plaisait bien à l'*Hôtel du Chat Botté*, elle, l'immobile et qui portait des chaussures sans talons.

Antoine initie Julien à la pêche, ils se baignent dans l'étang. Ils dorment sous la tente au fond du verger entouré de murs en pierres ajointées. Au petit matin, avant le bol de café au lait et les tartines beurrées, ils laissent fondre dans leurs bouches les fruits cueillis sur l'arbre, encore humides de rosée. Julien trouve même du plaisir à arracher les mauvaises herbes des plates-bandes du grand-père et à scier du bois pour l'hiver. Il apprend les noms des fleurs et des oiseaux, des étoiles. Il aspire l'odeur du foin fraîchement fauché, de l'herbe mouillée, des sous-bois. Il déteste les moustiques.

Certains jours, une jeune fille du village que connaît Antoine depuis l'enfance accompagne les garçons dans leurs courses et leurs jeux. Elle nage plus vite qu'eux. À bicyclette, ce sont eux les plus rapides. Elle feint de leur en vouloir quand ils ne l'attendent pas au pied des côtes. Elle rit pour un oui, pour un non. Avec le goût des pêches, des abricots, des groseilles, Julien découvre celui de Sabine. Il confond la saveur des fruits et la fraîcheur de l'étang avec celle du corps de la jeune fille. Elle habite une maison toute proche et Julien l'y rejoint à la tombée du jour. La première fois, il est plus effrayé qu'elle. Il tremble. Elle rit. Ou elle pleure doucement, il ne sait pas. La bouche, les seins, le ventre de Sabine sont tous les fruits du verger. Julien s'émerveille de ce corps souple, tout en courbes.

La fenêtre est grande ouverte sur un jardin qu'éclaire la pleine lune. D'un arbre à l'autre, des oiseaux échangent, comme les tout jeunes amants, ce qui ressemble à des paroles mais que les paroles oublient.

Quand Julien quitte la chambre de Sabine à la fin de la nuit lumineuse, il traverse le jardin à pas de loup mais il a des ailes. Il est un loup-oiseau. Il est tout léger quand il tombe dans le lourd sommeil une fois qu'il a rejoint la tente et s'est glissé dans son duvet, comme s'il était encore dans le creux de la jeune fille.

Antoine a dû s'apercevoir des fugues nocturnes de son ami. Il n'a rien dit. Les histoires salaces qu'il lui chuchotait pendant les cours de latin ne sont plus de saison. Antoine rudoie seulement un peu Julien quand celui-ci peine à bicyclette : « Avance, ne traîne pas comme ça ! »

Les grands-parents traitent Julien comme leur autre petit-fils. Ils le trouvent trop maigre : « Un vrai enfant du bitume parisien, celui-là. » Ils remplissent son assiette plutôt deux fois qu'une. Le dimanche, des cousins et leurs enfants viennent se joindre à eux pour déjeuner sous les tilleuls. Julien ne trouve rien de plus merveilleux que la vie de famille.

Il n'y a pas un seul Allemand dans le village. Antoine a confié à Julien sous le sceau du secret que son frère aîné était passé chez de Gaulle. Cela fait trois ans que le père de Sabine est prisonnier. La radio annonce le débarquement des Américains en Sicile.

Dans le train qui le ramène à Paris, Julien a pris sa décision : il ne suivra pas M. et Mme Girard à Boulogne. L'argument est imparable : trop loin de la faculté où il va s'inscrire, trop de temps perdu dans les transports.

Le visage de la mère se referme à nouveau : « Où vas-tu loger ? – Ne t'inquiète pas. Je reviendrai vous voir le samedi. » Il a dit : vous. « Et je t'emmènerai au cinéma. » Julien s'enchante de se sentir jeune dans le temps même où il l'est.

Quand Sabine l'avait accompagné à la gare de Niort, elle lui avait juste dit : « Ne m'oublie pas trop vite mon petit Julien », aussi simplement, tendrement, qu'elle lui avait dit tout au long de cet été 1943 : « À ce soir, je t'attends, mon grand Julien. »

10

La chambre est au sixième étage, sous les combles. Elle porte le numéro 24. Dès qu'il y pénètre, Julien ouvre la fenêtre étroite. Il voit la coupole du Panthéon. Il voit les toits. Il voit la ville. Rien n'est limité.

Il était tombé en arrêt en allant s'inscrire à la Sorbonne sur une plaque aux lettres dorées un peu ternies : *Paris-New York Hôtel. Chambres à la journée et au mois.* L'idée d'avoir cette adresse sous l'Occupation l'avait séduit.

La patronne avait des cheveux blond platine, une forte poitrine, des jambes lourdes. Elle s'était enquise de l'âge de Julien qui s'était vieilli de trois ans. « Mes parents habitent en Bretagne. Je suis à Paris pour poursuivre mes études. » Mentir était facile.

Dans l'escalier, il croise un couple qui se tient enlacé. Il entend la patronne demander : « C'est pour la journée ou pour une heure ? » Il comprend que les chambres des premiers étages sont réservées aux brèves rencontres. Il ne raconterait pas cela à sa mère ni à Louis qui aurait cherché une complicité entre hommes, comme celle que peut-être il avait connue avec son père : « Si je comprends bien, tu t'es trouvé un hôtel de passe. Eh bien, dis-moi, tu ne vas pas t'embêter, mon bonhomme. »

Julien, depuis qu'il a découvert la nudité d'une femme, déteste les sous-entendus grivois. Il a trouvé un sens nouveau au mot pudeur.

Dans la chambre 24, il y a tout ce qu'il lui faut : un lit avec des barreaux en cuivre, une table, deux chaises, une petite armoire et un lavabo. Le soleil rayonnant ce jour-là chauffe toute la pièce.

Julien, immédiatement, sait qu'il est là chez lui, entre ciel et terre.

11

Le voisin ne s'appelle plus Samuel Friback, il se nomme Mathias Chardin. Julien et Mathias sont assis l'un à côté de l'autre sur les bancs de l'amphithéâtre.

Mathias a quatre ans de plus que Julien. Un tel écart est considérable.

Julien a appris de Mathias, qu'enfant, son père allant de poste en poste en Amérique latine, sa scolarité avait été intermittente. Après la mort de son père, il était venu en France passer son baccalauréat puis, dans l'intention vague de devenir architecte – « envie de construire », disait-il –, il s'était inscrit aux Beaux-Arts. La tuberculose l'avait fait séjourner un an au sanatorium de Saint-Hilaire-du-Touvet. Il y avait lu toutes sortes de livres, un par jour, avidement. « C'est la lecture qui m'a guéri. » Il savait par cœur *Une saison en enfer*. Et Platon, Dieu sait pourquoi, l'avait séduit. Les goûts de Mathias sont imprévisibles.

Mathias est grand, blond, mince. Il est beau.

Julien fait crédit à la beauté, il la croit innocente, pense qu'elle protège du mal.

Ils fréquentent peu les cours qu'ils jugent insipides. Les murs sont brunâtres, les filles appliquées et mornes. « Cela sent le renfermé, cela manque d'air ici », dit Mathias qui n'a pas oublié son pneumothorax ni les grands espaces latino-américains.

Ils n'assistent guère qu'au cours que dispense le professeur d'histoire de la philosophie. M. Mignet est un homme encore jeune, légèrement voûté, très doux et très savant, dont ils ont appris qu'il aimait passionnément le théâtre. Il entretient son auditoire clairsemé des sources de la pensée d'Auguste Comte. Il y met une telle ferveur qu'il persuade Mathias et Julien qu'il n'y a rien de plus urgent à considérer. Il a beau traiter de Comte, il maintient ses étudiants en plein âge métaphysique. De ce que peut bien être un âge positif, ils n'ont pas la moindre idée. Sur la gourmette qu'il a héritée de son père, Julien fait graver ce mot : Métaphysicien. Il y voit un défi, sans savoir à qui ce défi s'adresse.

Ils ont faim. À midi, ils ont déjà dévoré le pain auquel les tickets de rationnement leur donnent droit. Il fait froid la nuit dans la chambre d'hôtel. Souvent, Julien y couche emmitouflé de chandails en grosse laine. Il se lave en vitesse le matin. Les quelques kilos gagnés chez les Raillard ont fondu. Julien aime cet inconfort. Il se dit qu'il a rompu avec l'enfance protégée. Ouvrir grande sa fenêtre, déambuler dans le quartier avec Mathias, passer de longues heures à la bibliothèque Mazarine aux côtés de quelques vieux messieurs très sages qui paraissent ignorer le passage du temps leur procurent un vif plaisir. Mais à la fin du jour, il n'a plus qu'une envie : cette envie n'a pas pour nom Sabine mais celle de son corps, de l'incroyable douceur de sa peau. Il lui arrive d'avoir recours à des prostituées. Un peu craintif avant, misérable après. Ce qui l'humilie surtout, c'est la banalité de ce qu'il éprouve alors. Il se sent seul au monde, sans appui. Il se sent séparé de lui-même. Quand il traverse le Pont-Neuf pour rejoindre son hôtel, il se penche sur le parapet, regarde les reflets des bâtiments dans l'eau sombre du fleuve. Il se souvient du jour où il a vu un chien qui avait sauté sur un des bancs de pierre qui bordent le pont. Poussé par son élan, il avait franchi le parapet et chuté. Julien était descendu à toute allure sur la berge. Le chien nageait bravement, une petite forme noire qu'entraînait le courant. Julien l'avait appelé, séché comme il avait pu. Et lui qui sait oublier sait qu'il n'oubliera pas le regard affolé et confiant de cet animal. Non : de cet être inconnu, qu'il avait vu disparaître puis resurgir.

12

Mathias et Julien sont assurés, en venant au cours de M. Mignet, d'y rencontrer Laurence Carnat, une grande fille blonde. Elle arrive souvent en retard. Ils laissent une place libre entre eux. Quand elle manque le cours, elle demande leurs notes aux garçons. Le reste suit : conversations au café autour d'une menthe à l'eau — Vittel, pas Vichy... —, promenade sur les berges de la Seine, cinéma, retour à la limite du couvre-feu. Elle, rue des Archives chez sa tante, Mathias chez sa mère rue Monge et Julien dans sa chambre du *Paris-New York* en solitaire. Trois points pas bien distants l'un de l'autre.

Laurence débarquait de sa province du côté d'Angers. Sa beauté est trop évidente pour qu'elle s'en soucie. Mais elle se lamente sur son ignorance. Alors Mathias et Julien lui donnent à lire *Le Bruit et la Fureur,* histoire de la projeter au plus loin de sa douceur angevine, ils lui déclament des fragments des *Chants de Maldoror,* histoire de

lui montrer que la poésie n'est pas chez Paul
Géraldy que sa tante porte aux nues. Ils s'installent tous les trois chez « Chanteclair » en haut
du boulevard Saint-Michel où, moyennant
quelques sous, ils peuvent passer et repasser, les
écouteurs aux oreilles, des disques de jazz américain.

Ce que les deux garçons aiment par-dessus tout,
c'est de faire découvrir Paris à leur belle et igno-
rante provinciale. Ils montent dans le premier
autobus qui passe, insoucieux de son itinéraire.
Quel que soit le temps, ils restent sur la plate-
forme, leurs longues écharpes autour du cou. Ils
se penchent vers l'extérieur comme on le fait au
deuxième balcon d'un théâtre avant que la pièce
ne commence, le rideau rouge n'est pas encore
levé, ou pendant l'entracte, quand la salle se vide.

Des années plus tard, Julien se demandera
comment ils avaient pu vivre cette fin de l'année
1943 comme un entracte, dans la vague attente
que l'action, jusqu'alors confuse, incertaine, se
précipite, dans la conviction que le dénouement
– mais tout est encore possible – n'est pas loin,
dans la certitude aussi de n'être ni les auteurs ni
les protagonistes de la pièce. C'était leur propre
pièce qu'ils jouaient, les plates-formes des autobus
étaient leur plateau, les passages parisiens leurs
coulisses, les Buttes-Chaumont, le parc Montsouris leur décor enchanté.

D'ailleurs, Mathias et Julien emmènent souvent Laurence au théâtre. Ils y croisent parfois leur doux professeur. Ils trouvent là une image intense, immédiate de la démesure, de la folie, du meurtre. Les mots y sont des actes. Les livres, lus dans le calme d'un square ou d'une bibliothèque, leur semblent parfois trop pacifiques. « Ce qu'il y a d'admirable dans les tragédies, dit Mathias, c'est qu'elles donnent de la noblesse à l'horreur. » Laurence trouve Mathias très intelligent. Elle trouve Julien un peu rêveur. Elle dit : « On ne sait jamais où tu es. » Elle le taquine comme un petit frère : « Espèce de maladroit » quand il a boutonné sa chemise de travers ou trébuché sur un trottoir.

Ils évitent les boulevards et les larges avenues. Ils aiment emprunter des rues courbées qui débouchent parfois sur de petites places. Cela donne une joie surprenante à Julien comme si, après une longue marche en forêt, s'ouvrait soudain devant lui une clairière à l'herbe tendre qu'effleurent des rayons lumineux.

Tout au long de sa vie, Julien Beaune sera en attente de cette clairière, ignorant quelle forme elle pourrait prendre : celle d'un visage de femme, d'un lieu, d'un parfait amour ? L'attente d'une révélation.

Le trio qu'ils forment, les autobus verts, les places, les passages, les jardins, la jeune fille venue des pays de Loire comme une pêche attendant d'être cueillie, savourée, était-ce leur manière insolente de ne pas sacrifier aux dieux de la mort ? Cherchaient-ils à conjurer la fin du monde par la lecture des poètes, l'étude des philosophes, leurs déambulations à travers la ville ? Apocalypse ou révolution mondiale, ils ne veulent envisager que les extrêmes.

Au moment où ils quittent Laurence devant sa porte cochère de la rue des Archives, ils provoquent la nuit. Mathias interroge à voix haute : « Qui gagnera cette guerre ? » et Julien répond dans un cri : « Staline. » « Arrêtez, vous êtes fous », dit Laurence.

Parfois, ils se trouvent dans le même wagon de métro que de jeunes soldats allemands à peine plus âgés qu'eux. Ils ont une baïonnette accrochée à leur ceinturon. Ils sont en permission de vie pour quelques semaines, quelques jours encore. Mathias et Julien ne parviennent pas à les haïr. Ils préfèrent tourner leur regard vers les voyageurs assoupis, tous semblables, que la fatigue a éteints.

Ils sont tous les trois dans le bureau. Mathias doit demander des documents administratifs à une secrétaire de la faculté. Elle comprend qu'il a l'intention d'interrompre ses études. Elle lui demande en souriant : « Alors, vous prenez le maquis ? » Mathias répond rudement : « Non, je me marie. » La secrétaire s'est crue imprudente. Elle n'insiste pas. Laurence ne bronche pas. Julien non plus.

Trois semaines plus tard, il est leur témoin dans la grande salle de la mairie du cinquième arrondissement, toute proche du *Paris-New York*. Les banquettes de velours rouge sont vides.

Les premiers bourgeons apparaissent sur les arbres du Luxembourg. Ils s'installent entre deux statues de reines de pierre. Laurence sort d'un panier des œufs durs et de moelleux fromages de chèvre que ses parents lui ont envoyés en guise de cadeau de noces : « Mais enfin, Laurence, à quoi penses-tu ? Vous êtes des enfants. Et que fait ce garçon ? Tu n'es pas enceinte au moins ? » Laurence a oublié le sel pour les œufs. « Enfin, Laurence, à quoi penses-tu ? » disent ensemble les garçons. Laurence pense qu'elle est heureuse.

Le 1er mai, une autre idée traverse l'esprit de Mathias. Quand une idée le traverse, il faut qu'elle atteigne son but, sans délai. Cette idée-là, Julien l'accepte avec enthousiasme. Celle du mariage l'avait laissé sans voix. Mais il l'avait trouvée belle. Il ne s'était pas montré amer, juste un peu triste.

De nouveau l'autobus, de nouveau la plate-forme, direction le Père-Lachaise. De nouveau des fleurs. Ce ne sont pas des chrysanthèmes mauves mais des roses rouges. Objectif : le mur des Fédérés, loin des concessions à perpétuité. Laurence, pour célébrer le printemps autant que les communards, a sorti de l'armoire de sa tante un chapeau de paille orné d'un ruban qui flotte autour de sa chevelure. Ne manquent que les cerises...

Seuls devant le Mur, à la fois rieurs et recueillis, ils déposent les roses rouges. Une dizaine de policiers en civil surgissent des buissons, les conduisent sans un mot au commissariat de la place Gambetta. Gambetta, celui qui s'était envolé dans le ballon pour mobiliser les Français contre les Prussiens. « Ironie de l'Histoire », murmure Mathias à l'oreille de Julien.

On les sépare. Interrogatoire. Nom, domicile, profession. Les policiers consultent des fiches. Laurence est aussi calme, souveraine, radieuse que lorsqu'elle arrive en retard au cours de Mignet. Mathias ricane. Julien est nerveux.

Le commissaire l'emmène dans sa traction avant. La patronne de l'hôtel doit ouvrir ses registres. Julien l'entend dire : « Vous savez, je ne le connais pas, ce jeune homme. Il prend sa clé au tableau le soir, la remet le matin. Des visites ? Je ne les tolérerais pas. Je tiens à la réputation de mon établissement. » Clin d'œil du commissaire qui monte les six étages derrière Julien.

Dans la chambre, il y a des liasses de tracts qu'un camarade a confiés au « métaphysicien ». Le commissaire les voit et n'en dit rien. Il s'attarde sur les livres : « Vous lisez Marx, Lénine ? » Julien répond que ce sont des auteurs du programme, le commissaire lui dit que dans sa jeunesse il a fait aussi des études de philosophie puis, brusquement, à voix basse : « J'espère que vous parlerez en ma faveur à vos amis, je veux dire que vous vous souviendrez de moi quand viendra l'heure des règlements de comptes. »

Julien est reconduit place Gambetta et libéré le lendemain matin en même temps que Laurence et Mathias. Ils passent rue des Archives pour rassurer la tante : « Tu es complètement inconsciente, ma petite. Pour moins que ça vous auriez pu être fusillés tous les trois. » Elle a ramené de Toulon où elle a vécu avant la guerre un accent qui ôte toute crédibilité à ses propos. « Quand je pense, dit Laurence, qu'elle voulait être tragédienne ! »

Ce que Julien retient, c'est que la tante a dit : « tous les trois ».

Leurs habitudes ont changé. Ils préparent leurs examens. Ils écoutent la radio, le débarquement se fait attendre. L'envie de courir après les autobus leur est passée.

Plus que le mariage, c'est l'affaire du mur des Fédérés qui a modifié leur façon de vivre. Ils n'en parlent jamais entre eux depuis que Laurence a dit : « Quel enfantillage, cette histoire ! »

Mathias a réussi à convaincre son grand-père, un ancien militaire, de lui remettre le fusil qu'il avait enterré dans le jardin de son pavillon de banlieue à Corbeil. Grâce à quoi, Julien et lui peuvent à tour de rôle tirer d'une fenêtre quelques coups de feu sur des camions où s'entassent des soldats allemands fuyant vers l'est. Ils ne sont pas sûrs d'avoir atteint leurs cibles. Mais ils sont tout excités et le grand-père les félicite.

La tante de Laurence plaisante : « Vous n'allez quand même pas vous prendre, mur des Fédérés ou pas, pour des communards. Vous me donnez l'impression de revenir d'un stand de tir de la Foire du Trône. Allez, les gamins, je vous invite à dîner. » Des gamins. Laurence le pense aussi. Elle le pense, elle ne le dit pas.

Le même jour, Mathias annonce à Julien que Laurence est enceinte. Laurence aurait un fils. Ensemble, tous les trois, ils décident du prénom. Il s'appellerait Laurent.

13

Mathias et Julien sont assis dans la salle d'attente de la maternité de Corbeil. Tout de suite, au regard fuyant de l'infirmière, ils comprennent : l'accouchement s'était mal passé, le médecin avait fait tout ce qu'il avait pu mais l'enfant n'avait pas survécu. Un garçon.

Mathias ne prononce pas un mot. Il ne demande aucune explication. Il est blême. Il s'éloigne aussitôt de l'hôpital.

Julien tente d'en savoir plus. L'infirmière, d'abord réticente, finit par lui laisser entendre à demi-mot que l'accoucheur, un certain docteur Duthiers, n'avait peut-être pas fait preuve de toute l'attention nécessaire, qu'il eût mieux valu sans doute effectuer une césarienne, que l'enfant était très gros... « Il était très beau », murmure-t-elle en quittant la pièce les larmes aux yeux.

Julien n'a jamais oublié cet imparfait.

La perte est la même. Non la douleur. Plus elle est intense, moins elle se partage. Laurence et Mathias sont comme enfermés chacun avec la sienne, unis avec elle, séparés l'un de l'autre. Mathias en veut silencieusement à Laurence s'il lui arrive de rire avec une amie, Laurence en veut à Mathias quand il lit son journal. Il est froid, irascible. Elle s'alourdit, grignote sans cesse des biscuits. Leurs corps ne se touchent plus.

Au bout de quelques mois, Laurence retourne dans son Anjou. Mathias part pour la Colombie, il y a gardé des amis, il trouvera bien, dit-il, de quoi s'y occuper. Julien ne cherche pas à les retenir. Il est délaissé. Peut-être veut-il l'être.

Étrangement, il sent que cet enfant qui était né pour mourir, qui n'aura jamais rien été qu'un prénom, était aussi le sien. Qu'il était « tous les trois ». Qu'il marquait d'un trait sombre, défi-nitif, la fin de leurs enfantillages, que l'amour entre eux et leur lien si fort et si précaire, que ce qui avait conduit leur trio à tenir à distance la réalité de la guerre en jouant avec elle, que tout cela était révolu.

Ils étaient trop vieux pour rester des enfants, trop jeunes pour être des pères. Le docteur Duthiers avait eu raison de leur jeunesse incertaine, à la fois grave et frivole.

Le dernier mot lui restait, à ce fusilleur, à ce versaillais. Il les laissait encore plus désarmés qu'ils ne l'étaient.

14

Julien écrit à M. Mignet qu'il ne suivra plus ses cours, que pour lui, la philosophie c'est fini. Il lui dit que sans doute il en attendait trop, qu'elle a trahi sa confiance. Il écrit le mot « trahi ». Il a beau juger le mot excessif, il ne peut pas en trouver d'autres.

Il va vendre ses livres chez Gibert. Il ne garde que ceux que lui avait donnés autrefois Samuel Friback, Samuel auquel il avait cessé de penser depuis des années.

Il est allé à l'hôtel *Lutétia,* il a proposé ses services qui ont été acceptés. Il y est resté des jours. Il n'y a trouvé ni Samuel ni sa mère. Le nom de Vergnaud lui est revenu, celui qui dénombrait tranquillement les Juifs de la classe, celui qui avait dit : « Ne t'inquiète pas. Je ne t'ai pas oublié. »

Il se demande si Samuel et Lucie Friback n'ont pas été dénoncés par le boulanger du bas de leur immeuble, l'homme affable, rieur, celui des délectables petits pains au chocolat.

15

Le matin, quand il se force à sortir de son lit, il n'a pas besoin de se voir dans la glace au-dessus du lavabo pour savoir que son regard est vide, absent. Et, quand il se trouve face au miroir, ce n'est pas pour examiner son visage mais pour s'assurer qu'il y a bien quelqu'un là. Quelqu'un qui aurait une forme.

Sa morosité, sa torpeur lui répugnent. Il entend les mots d'Antoine Raillard : « Avance, ne traîne pas comme ça. » Ces mots-là sont impuissants. Tous les mots sont impuissants.

Même les livres qu'il a gardés lui tombent des mains. Il passe des heures à lire les journaux, surtout les pages des faits divers.

Parfois il refait, seul, les trajets des lignes d'autobus qu'ils empruntaient tous les trois, il retourne aux Buttes-Chaumont, au parc Montsouris, il s'assied aux terrasses des cafés qu'ils aimaient. Il regarde les filles de loin, n'en approche aucune.

Seulement se dissoudre au fil des heures. Se

laver, manger, la rue Saint-Denis, un film, s'étendre sur un lit, fumer des Philip Morris. La fenêtre de la chambre de son hôtel est maintenant le plus souvent fermée. Julien se subit lui-même. Qu'est-ce que ça veut dire : « lui-même » ? Rien.

Qu'est-il arrivé à Julien Beaune ? Qu'est-ce qui ne lui arrive pas ?

Il lui faudrait rompre avec les mots, les phrases, les gestes, cesser de se fier aux émotions qui s'effacent, aux humeurs qui changent, aux amours précaires qui peut-être n'en sont pas.

Il ressent confusément qu'il lui faudrait affronter un adversaire.

Il n'a pas encore vingt ans et qu'est-ce qu'il entrevoit dans le reflet des vitrines des magasins quand il erre sans but dans les rues ? Des épaules tombantes, un visage mal rasé, l'image d'une défaite. Il ressemble à ce père apparu autrefois en rêve, à ce vagabond revenu de la mort, revenu de tout.

Julien n'a pas dit à sa mère un mot de « tous les trois ». Il ne lui dit jamais rien de ce qui l'atteint. Elle non plus. Il pense : « Au fond, nous sommes peut-être faits de la même étoffe » et lui revient l'image de Lucie Friback penchée sur sa machine à coudre Singer tandis que Samuel disserte sur les Lumières.

En Julien les images occupent toute la place. Elles recouvrent de brume tout ce qui existe.

16

Par l'entremise de M. Mignet, Julien trouve de quoi payer sa chambre d'hôtel, ses repas. Il ne dépend plus des mensualités que lui versait Louis Girard.

Le matin, il sert de secrétaire à un écrivain académicien. En fin d'après-midi, il donne quelques leçons particulières. Les mères le jugent bien jeune mais lui trouvent du charme. Lui en trouve à une de ses jeunes élèves au point de voir en Emmanuel Kant un joyeux compagnon. L'académicien l'envoie à la Bibliothèque nationale chercher la documentation dont il a besoin pour composer sa biographie de Flaubert.

Julien enseigne ce à quoi il ne croit plus. Et il se met, à son humble place, au service de la littérature alors qu'il n'attend plus d'elle de révélation. L'ironie de la situation le guérit tout doucement de sa propension à la mélancolie.

L'académicien s'est pris d'affection pour Julien. Il le retient souvent à déjeuner. Il lui explique comment lui est venue sa passion d'écrire la vie des autres : « J'ai su très tôt que je ne serais jamais un grand romancier : manque d'imagination, d'envergure sans doute. Vous savez, créer un monde, ce n'est pas à la portée de tous. Alors, voyez-vous, je vis, je crée, par procuration. Toutes ces vies d'hommes d'exception, ce sont un peu les miennes. »

Avant Flaubert, il s'est attaqué à Christophe Colomb, à Gengis Khan, à Saint-Just. C'est un homme un peu frêle, petit de taille, devenu le spécialiste des grandes biographies.

Tandis qu'il parle, Julien se demande ce que c'est qu'une vie. Peut-être est-ce seulement quand on la raconte qu'elle prend un sens, acquiert une unité ? Peut-être en faut-il plusieurs pour qu'au bout du compte il y en ait une ?

« Vous me faites, cher jeune ami, gagner un temps précieux. » Le vieil homme sait que le temps lui est compté. « J'entends bien mourir la plume à la main. »

Julien est ému par le vieil homme, par sa modestie. Il ne l'imagine pas sous un bicorne mais à un établi d'artisan. Qu'il l'ait appelé son « jeune ami » le touche, plus encore que les marques d'attention des mères de ses élèves à la fin de la leçon : « Vous prendrez bien un petit verre avec nous. Fanny, sors, s'il te plaît, les bouteilles d'apéritif en l'honneur de ton jeune professeur. »

Il y avait donc de la jeunesse en lui, visible. Les miroirs, les reflets étaient trompeurs. Le pas de Julien se fait plus vif. Son cœur plus léger.

17

Julien travaille. Il ne fait que travailler. Il a trouvé son adversaire coriace. Il apprend tout ce qui, au lycée, l'ennuyait le plus. Il apprend le corps humain, de quoi il est fait, comment il fonctionne, pourquoi il se détraque.

Il ne faut pas penser. Il faut absolument apprendre, jour après jour. Réduire la mémoire à un appareil enregistreur.

Peu à peu, une curiosité avide lui vient, celle qui se lit dans le regard des assistants de *La Leçon d'anatomie*. Julien en a une reproduction sur le mur de sa chambre.

« Dites-moi, pourquoi un beau jour avez-vous décidé d'entreprendre des études de médecine ? » Quand la question lui est posée, Julien Beaune a des réponses toutes prêtes, banales : « C'est un métier intéressant, non ? qui donne le sentiment de servir à quelque chose. » « Que ce soit une illusion ou pas. » Toujours il lui faut un correctif : ne pas être dupe de soi-même.

« Et puis j'en avais marre de traîner, de ne pas savoir où j'allais. Je ne le sais toujours pas mais j'ai moins le temps d'y penser. » Toujours, il lui faut maintenir l'incertitude, s'assurer aussi qu'un autre chemin peut s'ouvrir. Julien se fie aux circonstances, aux événements qui tombent, se mêlent, se contredisent, il ne croit pas à la vocation, à la ligne droite.

« J'ai connu dans ma jeunesse un romancier qui avait renoncé à l'être et écrivait la vie des autres. Et, avant lui, un délicieux professeur qui n'a jamais prétendu construire une nouvelle philosophie et nous enseignait les doctrines des grands. Eh bien, mettons que je fasse pareil, je me soucie des autres à ma manière : je rafistole des corps, je bricole dans la souffrance, le malaise. » Surtout ne pas prétendre, ne pas s'en faire accroire.

Aux plus proches, il en dit un peu plus : « Ce qui m'a amené sur le tard à la médecine, que veux-tu que ce soit ? La mort, les morts. Peut-être plus encore la mort dans la vie. Les pertes, on finit par les oublier ou par ne plus les ressentir comme des pertes, les deuils on finit par en sortir, le temps, nous le savons bien, guérit. Il y a plus étrange, plus scandaleux : notre mémoire n'est pleine que de tout ce que nous avons perdu. Nous sommes faits de tout ce que nous croyons avoir laissé derrière nous : pas seulement les êtres que nous avons aimés et ceux qui à un moment ou à un autre ont compté pour nous, mais les lieux, les villes, les paysages que nous ne verrons plus, le marchand de fruits et légumes de ton quartier qui a plié bagages sans mot dire. Cela peut paraître horrible à penser, mais ce sont les disparus, les morts qui nous nourrissent, nous vivons d'eux. La mort dans la vie, c'est l'inverse, elle nous ronge, nous dévore de l'intérieur. Et alors le médecin, avec les réponses qu'il tente de donner à sa question " Qu'est-ce qui ne va pas ? ", ne peut pas grand-chose. C'est la mort qui va, à bas bruit, comme on le dit de certains cancers silencieux qu'on décèle quand il n'est plus temps. »

Julien pense à ces années de silence entre sa mère et lui. Il pense à tout ce qui fait silence, à ce bas bruit plus puissant que les éclats de voix.

Il dit encore : « Il y a ceux qui aiment leur maladie plus qu'eux-mêmes et ce n'est pas facile de leur offrir mieux. Il y a ceux que la mort aime et ne lâche pas. On ne guérit pas la mort. On ne soigne pas le crime. »

Il pense à tout ce sur quoi les hommes font silence. Il pense qu'il n'y a que l'homme pour être criminel.

18

Le docteur Beaune aime dire que le peu de médecine qu'il sait, il l'a appris, pendant son internat, dans un service de pédiatrie : « Les nourrissons ne parlent pas, les enfants ignorent l'anatomie, il faut tout deviner, ne pas se fier aux paroles des mères qui le plus souvent nous égarent. Alors, on examine, on palpe, on ausculte. Ce sont les enfants malades qui font le médecin. » Et puis il y eut les remplacements, deux étés consécutifs, dans un gros bourg de Basse-Normandie. Des gens qui disent seulement : « Ça me fait mal, par là. — Où ça ? — Par là. » Et ils frottent leur ventre du haut en bas et ils s'inquiètent : « Docteur, vous n'allez pas me faire des piqûres, au moins ? »

Beaune aime évoquer ce temps où il redoutait l'erreur de diagnostic qui pouvait être fatale, où il avait peur, où il était seul face à des malades inconnus. « Vous imaginez cela : des petits qui geignent, ce n'est peut-être rien, c'est peut-être une méningite ; ces femmes à l'air égaré, au regard fixe, qui vous disent : " Ce sont les nerfs, docteur, je souffre des nerfs " ; ces gens qui se méfient du " docteur " et sont contraints de s'en remettre à lui, ces vieux impotents tordus par l'arthrose qui radotent, disent qu'ils ont fait leur temps sur cette terre, qu'ils ont bien assez vécu comme ça, que, s'ils en avaient le courage, ils se tireraient une balle dans le crâne, mais ils grognent parce que le bouillon est trop chaud et, au moment où vous partez, ils vous retiennent : " Docteur, quand revenez-vous me voir ? "

« Quelle est cette force qui nous accroche à la vie ? à une vie dont nous pensons que ça n'est pas une vie ?

« Je sais, je vous dis des banalités. Mais, plus je vais, plus c'est la banalité que je rencontre : la banalité de la souffrance, la banalité de nos plaintes, l'effroyable banalité au bout du compte de nos existences que nous voulons si singulières. Je crois bien que j'ai appris la médecine pour ne jamais oublier le sort commun. »

Julien pense à l'homme qui avait échappé pendant quatre ans aux éclats d'obus, aux rafales de mitrailleuses et qui est mort quelque temps plus tard dans un lit d'hôpital. Péritonite diagnostiquée trop tard, avait dit le chirurgien quittant un instant le bloc pour y retourner. Tous les jours, six heures durant, il ouvrait les corps. Mais il ne voyait, lui, que le champ opératoire, bien circonscrit, anonyme.

Julien pense à Langlois, chef de service à Laennec qu'il a vu opérer, entouré de son équipe qui l'admirait. Son attention était sans défaut, ses gestes précis. Après quoi il reprenait le volant de sa voiture, branchait la radio, en réglait le volume sonore puis s'engageait dans la rue Vaneau avec la même précision de gestes, impeccable. Il n'était pas pressé de retourner chez lui retrouver sa femme. On la disait déprimée, absorbant de l'alcool et des médicaments qui l'isolaient davantage encore de ce qui était autour d'elle.

Si le monde n'avait été composé que d'instruments et de machines, le professeur Langlois en eût été le seigneur incontesté.

19

L'immobilité avait pour Julien plusieurs formes mais un seul visage : celui de sa mère. Un visage qui n'affirmait qu'une chose, en permanence : Non.

Pendant trente ans, Mme Beaune avait occupé comme locataire l'appartement sombre, étroit de la rue Saint-Ferdinand. Et à l'intérieur d'elle, il n'y aurait jamais eu qu'un locataire bien décidé à ne pas quitter les lieux : le souci.

Être triste, malheureux, Julien comprenait. Mais ne chercher et ne trouver que des occasions de laisser au souci toute la place, cela suscitait chez lui une sorte de haine. Une haine qui s'adressait moins à sa mère qu'à l'énergie de refus qui était en elle. À quoi disait-elle non ? À la vie ? Au plaisir ? À tout ce qui dérange ? Julien avait longtemps cru que c'était aux hommes. Puis Louis Girard était venu.

Louis aimait la bonne chère, il s'était fait une liste des restaurants qu'il appréciait — il disait

« de bons petits caboulots » —, il y emmenait souvent sa femme. Il aimait aussi le soleil. Ils allèrent à Nice, sur la Costa Brava, en Sicile.

Mme Beaune-Girard n'est plus ce corps lourd engoncé dans des tailleurs en lainage. Elle parle de son père qu'elle craignait, de son frère qui était son dieu. La vie entre dans sa mémoire.

Elle qui n'avait jamais regardé un tableau suit avec une curiosité d'enfant les cours de l'École du Louvre. Louis se moque gentiment d'elle tandis que Julien sous le visage buté aperçoit les traits d'une jeune fille appliquée, timide qui n'eut qu'une peur : elle ne saurait jamais plaire.

20

« Tu ne trouves pas que Louis a maigri depuis quelque temps ? » C'est vrai, Louis maigrit. Il a perdu son bel appétit, sa gaieté paraît factice, il ne raconte plus de blagues.

On doit l'opérer d'une tumeur. Les médecins restent vagues sur sa nature. Il lui faut se reposer chez lui plusieurs semaines. Il reste souriant, réclame des journaux, des magazines, il ne parle jamais de sa maladie qui, cela n'échappe pas à Julien, avance sans trop se presser. Mme Girard, elle, retourne en arrière, là où elle a toujours été, la parenthèse de vie se ferme — et son visage. Le locataire porte-malheur a repris possession des lieux. Mais cette fois Julien sait ce qui tourmente sa mère. Il est sûr, il veut croire que ce souci-là, cette souffrance-là, elle ne les a pas cherchés.

« Cinq pour cent de chances qu'il s'en sorte. » C'est ce que les médecins ont fini par lui dire. Pourcentage statistique. À sa mère, Julien dit : « Il y a de fortes chances que Louis guérisse. » À

Louis, il ne dit rien. Louis sait à quoi s'en tenir. Les journaux, les magazines forment une pile auprès de son lit. Il interdit à sa femme de les jeter : « Ne jette rien, tu as compris, ne jette rien. » C'est la première fois que Julien lui voit l'air mauvais.

21

Longtemps, il y eut Françoise.

Julien l'a connue à l'hôpital Saint-Antoine. Ses yeux sont verts, sa voix très douce, ses jambes longues. Elle assiste l'anesthésiste, le docteur Franc qui, lui, est court sur pattes, s'exprime en petites phrases sèches, ne sait que donner des ordres d'un ton cassant. Il est assuré de sa compétence. Il est glacial. Julien se promet, quand il exercera la médecine, de ne jamais être un important.

Que Françoise soit aide-anesthésiste, c'est une idée qui lui plaît. Il se dit qu'elle n'est pas de ces femmes qui font souffrir, qu'elle saura au contraire le tenir à distance de la souffrance, le protéger contre il ne sait trop quoi : une certaine attirance qu'il ressent toujours en lui, malgré les études, le travail à l'hôpital, une attirance vers le vide. Non, pas vers le vide, vers le renoncement, l'abandon. Dans ces moments-là, c'est un mot anglais qui vient à Julien : *helpless,* personne ne peut rien pour lui.

Enfant, Julien n'avait pas confiance en Dieu, trop lointain, un souverain tout occupé à assurer son pouvoir, à moins qu'il ne dormît. Alors, il s'inventa une autre figure, celle de l'Ange gardien qui n'avait d'autre mission, d'autre plaisir même que de veiller sur lui. Discret, attentif, parfois un peu maladroit, tout embarrassé par ses ailes — il était peu à l'aise sur notre sol —, il ne s'approchait que lorsqu'on avait besoin de lui. La plupart du temps, l'enfant oubliait son protecteur invisible. Mais l'Ange, lui, ne l'oubliait pas. Toujours disponible quand il le fallait, il répondait sans qu'on l'appelle.

Julien Beaune n'avait jamais pu dire, sans mentir, « mon ange » à une femme. Il lui arriva de le murmurer à Françoise, à voix si basse qu'elle avait peu de chances de l'entendre.

Le premier soir où il l'accompagne chez elle, rue de Charonne, elle lui dit : « Ne t'inquiète pas, je ne pèserai pas sur toi. »

Elle ne demande jamais à s'installer avec lui. Elle devine que « s'installer, vie commune, tête-à-tête quotidien » sont des choses qui feraient fuir Julien. Pourtant il ne lui a pas parlé des années de la rue Saint-Ferdinand, des années closes dont il lui fallait s'échapper.

Elle ne demande rien à Julien. C'est sa force. Elle est là et Julien a toujours plaisir à la rejoindre. Elle aime être prise. Elle perd toute sa réserve dans l'étreinte.

Françoise sait que Julien voit d'autres femmes, qu'il a avec elles des aventures qui ne durent pas. Aventures, le mot ne convient pas : Julien ne résiste pas à l'attrait d'une nouvelle rencontre, à la merveille de l'apparition d'un corps soudainement dévoilé. Mais très vite il se demande ce qu'il fait là, auprès de cette femme qui dort et serait prête à le garder. Il n'éprouve aucun scrupule à s'enfuir : ces femmes se trompent, sont dupes de leur plaisir, font erreur sur la personne.

Françoise ne peut pas avoir d'enfants. À moins que ce ne soit Julien qui soit incapable d'être père.

Quand Julien voit de la tristesse dans les yeux clairs de Françoise, il vient vers elle, la serre dans ses bras et lui dit : « Je suis bien avec toi. » Il ne peut pas en dire plus.

Avant de connaître Françoise, Julien s'est épris passionnément d'une femme. C'était une comédienne anglaise venue en France pour le tournage d'un film. Elle portait le même prénom que les deux actrices de cinéma du square Chéret d'autrefois, la lumineuse et la fatale. Pour Julien, elle fut l'une et l'autre.

Il s'est cru aimé d'elle. Il ne la quitte pas des yeux, il la guette à la sortie du studio, il lui dit : « Je t'aime, je t'aime trop. » Il voit bien que sa fébrilité anxieuse risque de lasser la jeune femme. Alors, il se morigène, s'exhorte au calme, se promet de ne pas lui téléphoner.

Il ne reste pas en place. Il l'appelle trois fois dans la journée.

Elle repartit pour Londres après quelques mois rejoindre son amant, un comédien célèbre, alcoolique, taciturne, qui la traitait mal. Elle en avait dissimulé l'existence à Julien.

Julien ne la retint pas. La séparation se fit en douceur. Ils avalèrent en vitesse des œufs au bacon sur la table de la cuisine. Julien dit : « Adieu Laura » en souriant. Elle l'embrassa tendrement.

À peine est-elle partie que Julien s'effondre. Il se blottit sur son lit, à voix haute il répète : Laura, Laura. Il cesse d'aller à l'hôpital, c'est lui le grand malade, les cours polycopiés étalés sur son bureau sont un autre monde dont il n'a que faire, il est une loque ressassant des idées de suicide.

Ce fut un effondrement dont l'ampleur le surprit comme l'avait immédiatement troublé, bouleversé la rencontre de Laura dès qu'il l'avait pour la première fois embrassée. À qui avait-il dit : « Je t'aime trop » ? De quel excès de creux surgissait ce trop ? Et maintenant ce désarroi ?

Alors que, peut-être, ils pourraient lui faire lentement reprendre pied, les amis s'éloignent de Julien. « Il est vraiment lugubre et tout ça pourquoi ? pour une petite actrice, sans grand talent,

95

pas plus belle qu'une autre et menteuse avec ça ! »
Les mots mêmes que Julien ne cesse maintenant
de s'adresser et qui n'ont qu'un effet : rendre son
désir de Laura plus lancinant, la perte de Laura
plus constamment présente.

22

Cela dura plus d'un an, beaucoup plus. Il fallut opérer trois fois, enlever un bout d'organe puis un autre. Qu'allait devenir ce corps ? un sac de peau desséchée qui ne contiendrait rien ? Dans l'intervalle des séjours à l'hôpital, Louis subissait traitement sur traitement qui l'épuisaient lentement.

On lui voyait « la mort aux dents ». C'était une formule qu'utilisait un camarade d'internat. Elle s'imposait à Julien quand, allant à Boulogne, il apercevait sur l'oreiller le visage émacié de Louis s'efforçant à sourire, et alors effectivement les dents qu'il avait petites étaient autant de crocs découvrant les gencives, prêts à le dévorer ; le nez qui était fin devenait un appendice proéminent, une lame qui se retourne contre soi.

Une fois dehors, Julien respirait amplement, allongeait ses pas. Il allait vite retrouver Françoise. Mais, la retrouvant, il l'eût voulue moins calme, moins docile, il l'eût voulue plus vive, d'une beauté plus éclatante, seule capable de faire voler en éclats la mort aux dents.

Mme Girard sait maintenant ce qui attend Louis. Elle sait ce qui l'attend, elle. Elle consulte un médecin après l'autre, exige le spécialiste le plus titré, le meilleur chirurgien. Elle qui avait depuis longtemps déserté l'église y retourne. Elle n'admet pas qu'il n'existe pas de guérisseur suprême. Elle se tourne vers son fils : « Je t'en supplie, fais quelque chose. Tu sais, toi. » Julien sait. Il ne peut rien. Pour la première fois, il la prend dans ses bras. C'est lui, la « petite mère ».

La morphine agit. Louis a les yeux grands ouverts, il halète. L'infirmière assure qu'il est inconscient, qu'il ne souffre pas. Mme Girard tient la main de Louis. Julien n'a jamais assisté à une agonie. À l'hôpital, il a vu des malades qui allaient mourir, il n'est pas resté auprès de vivants que la mort saisit. L'infirmière répète que Louis ne ressent rien. Son souffle est bruyant, de plus en plus court. Le temps est de plus en plus long, ça n'en finit pas de finir. Louis a encore assez de force pour refuser le passage dans le « sac noir ».

Julien quitte la pièce, va dans la petite chambre au bout du couloir que sa mère avait aménagée pour lui, il doit y avoir dix ans de cela. Il ne l'a jamais occupée. Son bureau de lycéen en bois verni est toujours là et la chaise avec ses deux barreaux qui le forçaient à se tenir bien droit. Il s'y affaisse et voici qu'il est secoué de sanglots, qu'il suffoque comme aux jours qui ont suivi le départ de Laura.

Il avait de l'affection pour Louis, il était amoureux de Laura. Mais cette violence subite, incontrôlable, des sanglots, c'est forcément autre chose : qu'est-ce que ça peut bien être ? L'arrachement d'un morceau de soi.

Mme Girard vécut très âgée. Louis lui avait légué son bon appétit, une part de sa gaieté et donné la preuve qu'elle pouvait être aimée. Elle se fit des amies à l'École du Louvre et prenait un vif plaisir à se chamailler avec celles qu'elle appelait ses copines de classe.

Julien est heureux que sa vieille mère tienne bon, qu'elle soit là, solide, une digue contre vents et marées, contre le temps qui passe, celui qui efface tout avant de vous effacer.

23

« Qu'est-ce qui vous amène ? » Le visiteur répond que quelqu'un, il ne dit pas qui, lui a donné le nom du docteur Beaune. La voix est grave, les paroles mesurées.

Aussitôt, au premier regard, à la vue du maintien de cet homme un peu frêle, aux yeux cernés par une ombre, Beaune est saisi par une impression étrange, comme par une image de rêve dont l'évidence s'estompera avec le jour.

Le visiteur s'installe dans un fauteuil qui fait face à celui de Beaune. Il le place légèrement de profil. Beaune le sent inquiet, vigilant. Pas vraiment méfiant mais sur ses gardes comme s'il redoutait de céder à un trop de confiance accordée au médecin.

Il dit sa peur d'être atteint d'une maladie incurable. Il ne dit pas laquelle. Il précise qu'il a subi récemment une série d'examens, tous négatifs. Il en communique les résultats à Beaune. « Vous voulez être rassuré ? Eh bien, je peux vous rassurer. » Il sait que ces mots-là, l'homme les a entendus cent fois mais il ne souhaite pas en trouver d'autres. Il pense un instant que le visiteur a pu se tromper d'étage : au-dessus de son cabinet, c'est un psychiatre qui officie. Il hésite à mettre fin à la consultation. Il en a reçu plus d'un comme celui-là : « Docteur, je sais que cela va vous paraître idiot mais je suis sûr que... » et c'est le cœur ou le foie ou les poumons. Mais celui-là n'est pas semblable aux autres et l'impression étrange qui a saisi Beaune dès l'instant où il a fait pénétrer le visiteur dans son cabinet persiste.

L'homme s'est tu un moment, soudain il se met à parler, très vite. Il a remis son siège face à celui de Beaune. Il le fixe du regard. Il dit que son métier ne lui laisse pas de répit, qu'il aimerait disposer de plus de temps pour jouer avec son plus jeune fils qui, au train où vont les choses, ne sera bientôt plus un enfant, il grandit trop vite. Il dit que son père s'était retiré dans un village de la Creuse, qu'il l'a perdu l'an dernier, qu'il allait le voir aussi souvent qu'il le pouvait, mais c'était loin, ce n'était pas facile. Il dit qu'il a été mal soigné. Il dit qu'il s'est éloigné peu à peu de sa femme : « Son humeur est devenue maussade. » Il ajoute : « La mienne aussi. »

L'homme ne se plaint pas. Il constate. Il conclut : « Tout ça est d'une grande banalité. »

Beaune pense que cet homme a un ennemi implacable : le temps. Qu'il n'existe pour lui ni avenir ni présent. Qu'il est effectivement atteint d'un mal incurable mais lequel ? Qu'à ses yeux qui sont d'un noir intense seul le pire est toujours sûr.

Le visiteur observe furtivement le paquet de cigarettes, le cendrier posés sur le bureau de Beaune. Il ne lui adresse aucune remarque. Il ne fait jamais que constater. Il n'oublie pas un instant que tout homme est mortel, porte la mort en lui. Et c'est au moment où Beaune se formule « Et si, lui, c'était un mort, des morts qu'il portait » que l'homme lui apprend, un fait parmi d'autres, que sa mère n'est pas revenue de la déportation. Le nom du camp n'est pas prononcé.

Les malades suivants doivent commencer à s'impatienter dans la salle d'attente. Beaune ne s'en soucie pas. Il observe, il écoute cet homme qui depuis un moment ne s'adresse plus à lui comme à un médecin. Il l'écoute avec une extrême attention comme si chaque mot, chaque intonation allait lui délivrer un secret.

Voici que l'homme évoque le temps où il était étudiant, un étudiant sérieux, brillant même et on ne peut plus solitaire. Le concours était difficile : des centaines d'éliminés, une poignée de reçus. Il dit : de rescapés. Un membre du jury n'avait pas apprécié ce qui lui était apparu comme un trop d'assurance : « Monsieur Samuel Fischer, vous vous croyez très fort, beaucoup plus fort que vous n'êtes. Cela va vous nuire. »

« J'ai été reçu quand même mais de justesse. Je ne sais pas pourquoi je vous raconte ça. » Samuel Fischer répète « Tout cela est d'une grande banalité ».

Un certain Samuel fait face à Julien, avec ses yeux d'un noir intense, sa mèche qui lui couvre une partie du visage et derrière lui le tableau noir. Samuel, l'enfant maudit, l'enfant grandi trop vite, que *Madame* a saisi.

D'où vient le visiteur ?

Beaune, brusquement, se lève, raccompagne M. Fischer qui lui demande : « Puis-je revenir vous voir ? » Beaune répond : « Est-ce bien nécessaire ? » puis se reprend : « Bien sûr, quand vous voudrez. »

Après quoi les consultations se succèdent. Le médecin pose les questions, procède à l'examen, rédige l'ordonnance. Mais il est tout occupé à se déprendre de l'idée que son visiteur est un revenant.

Puis il classe les fiches de la vingtaine de malades qu'il a reçus dans la journée. Il se dit qu'il travaille trop, que son cabinet est trop sombre, qu'il devrait prendre quelques jours de vacances, partir seul sur une île, là où il y aurait du vent, de la lumière, là où rien ne l'atteindrait, où personne n'exigerait rien de lui. Il sourit en pensant qu'il donne le même conseil imbécile aux patients qui se plaignent de surmenage : « Vous devriez changer d'air, cela vous ferait du bien. »

24

Beaune détestait les congrès. Il n'y assistait jamais.

La lettre qu'il reçoit de Montréal n'a rien d'officiel. Elle dit : « Venez, cela nous fera plaisir. » Il ricane devant l'intitulé du congrès : « Approches socioculturelles et médico-psychologiques de l'oubli ». Il n'en retient que le dernier mot et il répond aussitôt qu'il viendra. Doivent participer des philosophes, des historiens, des psychanalystes. Leurs noms sont connus, pas le sien. Il a bien consacré autrefois sa thèse de médecine à une forme assez rare d'agnosie après avoir recueilli quelques observations dans le service de neurologie où il avait travaillé l'année précédente. Mais qui en avait connaissance, à part son jury ?

Montréal, ça ne lui dit rien. Mais il pourrait prolonger son séjour, il irait jusqu'à l'extrémité du pays, à Vancouver, la ville qui s'ouvre sur l'océan, de l'autre côté. C'est le nom qui l'attire. Ces trois syllabes qui s'allongent pour n'en faire qu'une se fondent et dérivent en lui comme le prénom d'une femme dont on se dit que peut-être un jour on finira bien par la rejoindre. Vancouver le bout du monde. Laura la femme qui lui a toujours échappé. Pas seulement Laura.

L'avion décolle avec retard, puis, à peine parti, se pose a Gatwick pour faire son plein de passagers. C'est de nouveau l'attente.

Qu'allait-il faire là-bas ? Qu'allait-il bien pouvoir leur raconter ?

Enfin on survole l'Océan. La grande frontière entre le jour et la nuit n'existe bientôt plus. La voisine de siège de Beaune est une belle femme, non elle l'a été, elle est fanée maintenant, elle porte des bijoux partout, aux doigts, aux poignets, autour du cou. C'est une grande voyageuse. Elle parle de ses allées et venues : Monte Carlo, Milan, Miami, la Jamaïque, Tokyo, Rio. Elle fait sauter Julien d'un point du globe à un autre sans qu'il ait à bouger de sa place. Elle parle, elle parle, sans s'interrompre, un bruit continu, comme les moteurs de l'appareil.

Elle a usé plus d'un pays, plus d'un amant, plus d'un mari. Le dernier en date souffre d'un mal étrange. À n'importe quel moment, n'importe où, ce peut être au volant de sa voiture, au cours d'une négociation décisive — « Mon mari est un grand avocat international, monsieur. Maintenant, c'est fini pour lui » — le sommeil s'empare de lui, sans préavis : « Oui, c'est cela, monsieur, il sombre dans le sommeil. Il sombre. »

Beaune dit à sa voisine qu'il a rencontré quelques cas similaires. « Vous êtes médecin ? » Le flux de paroles reprend. Beaune aimerait tant que le sommeil lui tombe dessus.

Il pense : « Tout de même, quelle énergie cette femme ! Quelle facilité à changer de pays, de langue, d'homme ! À ajouter un bijou à un autre ! Au moins ça, ça reste ! En voilà une qui doit en connaître un bout sur l'oubli. »

Elle conclut : « Que voulez-vous, docteur, j'aime la vie. »

L'hôtesse annonce que, les vents étant contraires, l'appareil risque de manquer de carburant et qu'il va devoir se poser pour faire le plein, cette fois, de ses réservoirs.

Beaune se tourne vers le hublot, y colle son visage. Il aperçoit une terre verdâtre, couverte d'une végétation basse. Pas un village, pas la moindre habitation. Il voit une terre sans hommes. Il se sent, en ce bref instant, hors de ce temps, hors de ce monde. Il découvre par le hublot bombé, comme par une lunette télescopique qui rendrait visibles des temps révolus, un paysage préhistorique et même préhumain. Il se dit qu'en observant d'en haut ce sol troué de lacs, d'étangs et de flaques, il est témoin de la lente émergence de la terre hors de l'immense masse liquide.

L'exaltation le gagne. Oui, c'est Terre-Neuve, c'est bien là son nom, c'est la fragile naissance de notre Terre.

Soudain, l'avion accentue sa descente et Julien aperçoit un cycliste pédalant seul sur une route déserte. À trois cents mètres d'altitude, il lui semble entendre le souffle de ce premier homme apparu.

L'appareil se pose. L'hôtesse ouvre la porte. Les passagers ne sont pas autorisés à sortir. Ils quittent leurs sièges, se parlent, rient, s'ébrouent. Ils sont excités comme des enfants sur une plage. On dirait qu'ils sont restés emprisonnés pendant des jours et des jours, que subitement la toute neuve terre leur est apparue et que c'est en entrant éblouis dans un rêve qu'ils s'éveillent enfin.

À la sortie de l'aéroport, un homme s'approche : « Comment vas-tu ? Pas trop fatigué ? » Beaune croit reconnaître la voix, pas le visage. « Tu ne me reconnais pas ? Normal, après tout ce temps. J'ai vu l'affiche du congrès. Alors je suis venu te chercher. Mathias Chardin, ça te dit quand même quelque chose ? »

Ils s'embrassent.

Les joues de Mathias sont couperosées, son crâne dégarni. Il a perdu sa grâce et sa beauté. Julien le trouve vieux alors qu'encore enivré par le long voyage aérien, le décalage horaire et la vision de Terre-Neuve, il se sent d'une jeunesse incroyable.

Dans la voiture, Mathias ne parle guère. Julien le questionne. Après avoir été de pays en pays comme la voisine de l'avion, il dit s'être fixé à Montréal depuis cinq ans. Julien ne comprend pas bien ce qu'il y fait. Il est question, pêle-mêle, de l'assistance aux défavorisés, des alcooliques anonymes, des services culturels... Le propos est si vague que Julien n'insiste pas. Alors il s'avance avec prudence vers le passé : « Tu te souviens de Mignet ? — Oui, qu'est-il devenu ? — J'ai appris qu'il était membre de l'Institut. Il a édité les *Œuvres complètes* d'Auguste Comte. Quelle fidélité à sa jeunesse ! »

Le nom de Laurence n'est pas prononcé.

Mathias dépose Julien à la porte de son hôtel. Il lui dit simplement : « J'ai été content de te revoir. » Il ajoute : « Fais-moi signe, si tes congressistes consentent à te lâcher un moment. » Il y a de l'ironie dans le ton de sa voix. Avant, la voix de Mathias était grave, persuasive. Maintenant, elle est cassée. Mathias est cassé. Julien ne lui fera pas signe.

Beaune doit intervenir à la séance de l'après-midi. Il cherche à savoir ce qui lui a valu cette invitation. « Il nous fallait un médecin, un esprit scientifique, quelqu'un qui sache nous parler du cerveau : les neurones, les transmetteurs, tout cela est si complexe, la science progresse si vite. Et puis vous n'êtes pas un inconnu ici. »

Les congressistes sont attentifs, ils l'applaudissent longuement. Il se souvient du temps où il s'applaudissait tout seul dans sa chambre : « Premier : Julien Beaune. » Il quitte l'auditorium sur un nuage.

Le conférencier a expédié rapidement l'affaire des connexions neuronales. D'autres connexions ont dû s'établir dans son cerveau car il s'est trouvé emporté ailleurs, il s'est mis à parler du temps, du temps qui passe et du temps qui ne passe pas, soudain lui est revenue une lecture de jeunesse, celle d'un auteur obscur de l'Antiquité ou d'un romancier célèbre ou d'un poète qui n'existe pas, il ne sait plus. Ce qu'il n'a pas oublié, c'est une page qu'il n'avait pas comprise à l'époque, une page qui évoquait une cinquième saison, celle qui ne figure sur aucun calendrier et qui est à l'horizon de chacune de nos saisons, de leur retour cyclique.

À l'issue de la conférence, un auditeur s'était approché de lui : « Vous me faites bien rire avec votre cinquième saison. Ici, au Québec, si nous en avions seulement trois, nous serions bien satisfaits. » Ces Québécois avaient de l'humour, cela plaisait à Beaune.

Il sort, il a envie de marcher dans la ville. Il n'a pas envie de s'y promener, il veut être au plus près du Grand Fleuve. Il a beau consulter, à chaque carrefour, le plan de la ville, il ne le trouve pas. Il s'informe auprès des passants. Il demande le Saint-Laurent. Ils le comprennent mal. Il répète : Laurent. On lui indique une rue, d'un geste vague. Une vieille femme s'écarte, accélère le pas, apeurée, quand il lui pose sa question. Craint-elle qu'il ne lui vole son sac, ne lui demande l'aumône ?

Personne ne l'entend, il parle dans le vide. Il n'est plus le docteur Beaune applaudi tout à l'heure. Il ne trouve pas son chemin. Il se sent seul au monde. Il n'est rien.

Ils sont seuls, Laurence, Mathias et Julien, chacun d'eux plus seul que l'autre, à la maternité de Corbeil. C'est maintenant l'infirmière qui s'écarte, gênée, qui fuit les questions. Il ne leur reste rien à « tous les trois », rien qu'un prénom : Laurent.

Terre-Neuve n'aura pas voulu d'eux.

25

L'épreuve la plus difficile à franchir n'était pas celle de la conférence. C'était celle du « dîner dansant ».

Beaune est entouré de deux femmes. L'une est une universitaire. Elle l'ennuie : l'impérialisme américain, les étudiants qui ne savent rien, les restrictions budgétaires... L'autre est une jeune femme. Elle se nomme Anne Dulac mais son véritable nom est Gaieté. Beaune est séduit par la voix, par le rire de Gaieté, par les histoires qu'elle raconte : à chaque instant il lui arrive quelque chose, le moindre incident se mue en petite scène de roman. Elle travaille pour des journaux, elle est venue de France pour écrire une série d'articles sur les Acadiens chassés du Québec. C'est peut-être ça qui justifie sa présence au congrès sur l'oubli.

Beaune qui n'a pas dansé depuis vingt ans se risque.

Anne et Julien passent la nuit ensemble. Le

lendemain, ils vont manger du homard au plus près du Saint-Laurent.

Il pense : « L'aventure sentimentale du congressiste à l'étranger. Tout ça est d'une grande banalité, comme dirait Samuel Fischer. » Mais les mots qu'il dit à la jeune femme sont, sans qu'il s'en aperçoive, différents. Il dit : « D'une rare banalité. » Anne acquiesce et reprend : « Oui, d'une très rare banalité. » Son visage est radieux. Julien hésite encore à se fier à son émotion.

Anne et Julien partent pour Vancouver. Ils y restent une semaine.

Anne, une fois terminée son enquête, retournera à Paris. Elle dit à Julien : « Attends-moi. » Puis : « Ne te sauve pas. »

26

C'est Françoise qui l'attend. Elle lui adresse un signe de la main derrière la vitre tandis que Julien, lui, attend qu'apparaisse sa valise sur le tapis roulant qui n'en finit pas de faire et de refaire son circuit : éternel retour, mécanique.

Julien sourit à Françoise. Elle lui demande si sa conférence a bien marché, s'il a trouvé le temps de réaliser son vieux rêve : aller à Vancouver. Elle lui trouve la mine triste. « Non, je suis un peu fatigué, c'est tout. Le voyage, le décalage horaire. Oui, c'est sûrement le décalage qui me donne cet air-là, décalé. On ne sait plus bien où l'on est. Je vais dormir. Après, je retrouverai mes esprits, mes repères. Ne t'inquiète pas. »

L'idée de lui faire de la peine lui est odieuse. Comment quitter quelqu'un à qui on n'a rien à reprocher ! Il est sûr d'aimer Françoise, mais il est moins sûr qu'un autre de savoir ce que signifie le mot aimer. Peut-être ne pourra-t-il jamais se passer d'elle.

Julien s'octroie encore un jour de vacances. Ils vont au cinéma voir *Chantons sous la pluie*. Julien a déjà vu le film six fois, mais cet éternel retour-là est délicieux.

À la sortie du cinéma, sur le trottoir mouillé de pluie, un monsieur sérieux, pas tout jeune, fredonne *Singing in the rain* et, involontairement, c'est sûr, esquisse quelques pas de danse. « Tout comme moi », pense Julien, qui éloigne vite cette pensée. Françoise lui prend le bras.

Le lendemain, il reprend ses consultations. Beaune aime bien ses patients, même ceux qui ne font que se plaindre : le traitement qu'il leur a prescrit est inefficace, ils n'ont jamais eu si mal à l'estomac, les crises de tachycardie sont plus fréquentes que jamais. « Hier soir, docteur, j'ai bien cru que j'allais y passer... », ils dorment de plus en plus mal. Oui, il aime particulièrement ceux qu'il appelle ses « négatifs », ceux qui ont le plus besoin d'être aimés et qui n'ont que ce moyen-là à leur disposition. Que serait-il s'ils cessaient de venir, s'il cessait d'être attendu ? Il lui faut bien reconnaître que lui aussi a besoin d'eux.

Mais quand ses journées s'achèvent, qu'il a rangé ses fiches, là, la solitude s'installe : « Je ne suis qu'un dépotoir, ils déposent en moi leur malaise, leur misère, leurs rancunes. Je ne suis qu'une éponge qui absorbe leur angoisse, jusqu'à la prochaine fois. »

Il rêve de tomber malade à son tour alors qu'il est tombé amoureux.

Il dit la chose à Françoise. Il s'attend à des larmes. Pas à des cris, à une explication jalouse. Françoise ne crie jamais. Elle dit : « Je suis contente pour toi. Enfin, il t'arrive quelque chose. » Julien est si déconcerté qu'il ne sait que dire ni que faire. Françoise, comme si de rien n'était, prend son imperméable et s'en va à son travail.

Le soir Julien est auprès d'elle.

La jeune femme qui attend sagement dans le petit salon attenant au cabinet se porte comme un charme. Elle est arrivée le matin même du Québec. Elle se jette dans les bras du docteur Beaune.

Il a fallu quelques jours à Julien pour qu'il puisse annoncer à Françoise qu'il a l'intention de vivre avec Anne. « Tu sais, nous continuerons à nous voir, toi et moi, quand tu le voudras. » Françoise dit : « Je ne te verrai jamais. Plus jamais. »

Julien pense que c'est Françoise qui le quitte.

L'enfant tarde à pousser son premier cri. Julien est blême. La sage-femme secoue l'enfant et vient le cri du vivant. Elle dit : « Mais enfin, docteur, on dirait que vous n'avez jamais assisté à une naissance. » Julien dit : « C'est vrai, on peut dire que c'est la première fois. »

Il soulève l'enfant, le porte à bout de bras, pour un peu il crierait, lui aussi : « C'est Terre-Neuve, c'est la cinquième saison », puis il le pose doucement auprès d'Anne, auprès de Gaieté la toute belle : « Voici notre enfant. » À lui-même, il dit : « Voici mon fils » et il l'appelle par son nom.

II

Celui-ci

1

Quand ai-je rencontré Julien Beaune ? Il y a dix ans, quinze ans ? Aucune idée. Cela fait un certain temps que les repères des dates me sont devenus si incertains, si flous qu'à leur place est venue l'interrogation : « C'était quand déjà ? » Avec « C'était quand déjà ? » s'introduit un trouble dans l'ordre du temps. Cette incertitude me plaît, j'aime que les temps soient mêlés comme ils le sont dans nos rêves où ce que nous pensions disparu est plus vivace qu'aujourd'hui, où un événement est toujours l'écho d'un autre, un personnage le composé de plusieurs. Serait-ce que ce que je tiens pour le plus actuel est du déjà-vu, sous une autre forme, dans une autre vie, à la fois autre et mienne ?

Je me souviens que c'est mon amie Marianne qui m'avait parlé du docteur Beaune. « Tu verras, c'est un excellent médecin, pas tout à fait comme les autres. Et puis, rassure-toi, comme tu n'aimes guère t'éloigner de ton quartier, son cabinet est à deux pas de chez toi. »

Je ne m'étais jamais soucié de ma santé ni de mon âge. Mais, depuis quelque temps, je me sentais fatigué, mes nuits étaient interrompues de brusques réveils – et dans ces heures-là la lucidité est féroce. Je m'assoupissais à l'aube, et ne sortais péniblement de ce demi-sommeil que pour maugréer contre l'absurdité du monde et l'inutilité de tout. J'écorchais les noms propres comme si celui de l'un se mêlait à celui de l'autre, les numéros de téléphone les plus familiers m'échappaient comme si le fil qui me reliait à mes amis pouvait à chaque instant se casser. J'avais souvent mal au dos, parfois des quintes de toux, bref je me sentais non pas vieux mais, pire, vieillissant, inexorablement vieillissant, et j'avais du mal à admettre ce constat d'une progressive défaillance du corps. Ce que je redoutais le plus, c'était de me trouver bientôt incapable d'être sensible à du nouveau, d'être marqué et modifié par de l'inattendu – ou alors ce ne serait qu'en des moments fugaces qui ne laisseraient aucune trace. Mon identité était acquise, je serais réduit à cela, à ce peu de chose qui ne cesserait plus de m'accompagner. De là devait venir ma morosité matinale : cette lassitude amère à me retrouver le même, jour après jour, alors que dans mes nuits riches d'apparitions, d'histoires, d'événements, mes nuits méchamment interrompues, j'avais été mille autres !

La seule idée que j'allais sous peu ressembler

à ceux de mes amis plus âgés dont j'avais vu, année après année, les intérêts se rétrécir, l'existence se racornir, le retrait avaricieux sur eux-mêmes s'accentuer à leur insu, cette seule idée me révulsait. On aurait dit qu'ils anticipaient un statut futur de momie enserrée dans ses bandelettes afin de s'épargner un processus de décomposition.

J'allais donc consulter le docteur Beaune, sans savoir ce que j'attendais au juste de lui. Quand il me fit entrer, je me dis que je l'avais vu quelque part. Peut-être était-ce au comptoir du café où j'ai mes habitudes ou bien l'avais-je croisé dans la rue. Cet homme à coup sûr n'était pas pour moi un nouveau venu. Je me sentis d'emblée en pays de connaissance.

Il devait avoir à peu près mon âge. Il m'accueillit comme si je lui rendais une visite amicale. Il y avait de la douceur dans sa voix, du vague dans son regard. La pièce où il me reçut n'avait pas la froideur aseptisée d'un cabinet médical. Des dossiers y étaient amassés en désordre, des livres qui ne me parurent pas être des ouvrages de médecine étaient empilés sur une table. Je me souviens avoir craint que mon amie qui était plutôt fantasque ne m'ait adressé à un médecin plus charmeur que compétent. Il avait pourtant tous les titres requis : « Ancien interne des Hôpitaux de Paris, ancien chef de clinique à la Faculté. » J'aurais volontiers ajouté :

« Ancien petit garçon esseulé, ancien adolescent replié sur lui-même, ancien jeune homme vite déçu par les femmes », ainsi de suite. Autant de clichés, mais comme peuvent l'être des clichés photographiques qui donnent à rêver, s'agissant d'un inconnu soudain devenu proche, toute une histoire absente.

J'étais déjà en train d'inventer mon Julien Beaune. Oui, peut-être – j'y pense maintenant – dès ce jour-là.

Le médecin me pose les questions d'usage avec une certaine nonchalance ennuyée. Soudain, alors que je lui fais part d'une douleur que je ressens parfois « par là », sans pouvoir mieux la localiser qu'un enfant, son regard que j'ai d'abord trouvé vague, orienté ailleurs, presque fuyant, se fait médical. Il m'examine soigneusement. Cela dure près d'une heure. Et, plus l'examen se prolonge, plus un sentiment inattendu de totale confiance m'imprègne, en même temps qu'étrangement je cesse de penser à ce corps étendu, offert à l'inspection, comme à une machine dont j'ignore les mécanismes. C'est bien un tout qui est mien, qui est moi. Je dis étrangement car la minutie de l'examen aurait dû produire l'effet contraire : me faire éprouver ce corps comme un objet extérieur, peut-être ennemi, comme une collection d'organes – l'estomac, le foie, les poumons, les reins... – dont chacun aurait sa vie propre, quasi autonome, et qui pourrait, à son heure, me jouer malicieusement, malignement, des tours.

Le docteur Beaune me prescrit une analyse de sang, une échographie, je ne sais plus quoi. « Si ça ne vous ennuie pas trop », ajoute-t-il en souriant. Il aurait pu exiger des dizaines d'examens, même pénibles, j'aurais acquiescé. Est-ce cela : « s'en remettre à quelqu'un » ?

En me retrouvant rue de Grenelle à la tombée du jour — il m'avait reçu très tard —, je me demandais comment un homme qui s'était montré si précis, si attentif dans l'exercice de son métier pouvait aussi paraître, comment dire, si désenchanté, à la fois si présent et si dépourvu d'illusions ? Ce devait être ce mélange qui avait suscité en moi cette confiance immédiate. Trouvais-je, retrouvais-je en lui quelque chose qui me manquait, m'avait manqué ? Pour un peu j'aurais voulu être, moi, le médecin de son âme !

Je le revis deux semaines plus tard, lui apportant les résultats des examens prescrits. « C'est bien. — Vous n'avez pas de soucis à vous faire. » Il ajouta : « Nous n'avons plus vingt ans, ni vous ni moi. Tâchez quand même de fumer un peu moins. » Nous étions en juillet. Il me souhaita de bonnes vacances. Sans l'avoir décidé, je fumai moins cet été-là. Mon sommeil fut serein, je me souvins de mes rêves et le lumbago m'oublia. Je passai plus d'un mois dans l'île, dans celle qu'aujourd'hui encore, alors que je me la suis désormais interdite, je continue d'appeler mon île.

2

J'éprouvais toujours le même sentiment de liberté, autrement dit de bonheur, quand, après les cinq-six heures de route monotones, j'arrivais à Port Maria d'où le bateau de la « Compagnie morbihannaise », *Le Guerveur* ou *L'Acadie* – un rien plus lent mais plus vétuste et plus petit, ce qui à mes yeux lui assurait un charme supplémentaire –, nous mènerait à « mon » île.

La lumière bretonne n'a jamais comme celle de la Méditerranée quelque chose d'écrasant, de minéral. Elle est douce, elle ne sépare pas la terre du ciel mais, une légère brise, une faible brume aidant, elle suscite en moi la mobilité.

À peine entré, cet été-là, dans la petite maison, après que la clé un peu tordue et rouillée a consenti, pour me faire mieux goûter mon plaisir, à m'en ouvrir l'accès, je place les quelques livres emportés de Paris en bordure de l'étroite fenêtre, sur le secrétaire, papier et stylo, rien de plus. Je range dans l'armoire les chandails de grosse laine et les pantalons de toile, le temps, une chance, variant ici d'une heure à l'autre. Par contraste avec l'appartement parisien, son trop de livres, de dossiers, de papiers épars, de lettres restées sans réponse, avec le désordre insensé qui le gagne et parfois transforme mon esprit en un inextricable fouillis, le trop-plein tout autour suscitant un tourbillon de vide à l'intérieur, j'aime qu'il y ait là un espace bien délimité, non encombré. Dans la grande île, j'aménage ma petite île. Les livres à portée de la main, je sais que je les lirai et, soudain confiant, je ne doute pas un instant d'écrire les pages promises.

L'île n'est pourtant pas un territoire clos qui se défendrait contre le dehors. Elle est ouverte de tous côtés sur le ciel, sur l'océan. Quand j'emprunte un chemin de terre à travers la lande et ses genêts, la mer est là, sur le chemin, perceptible quoique invisible, et je devine ses vagues puissantes dans le ciel le plus calme.

La lumière d'ici ouvre des passages entre les éléments. Elle me fait croire à l'existence d'une âme du monde ! Eau, terre, ciel n'y sont pas en opposition et on n'y connaît comme feu que le feu d'herbes. Je n'aimerais pas y voir flamber des passions folles, destructrices, mais seulement naître et rester à l'état naissant des amours vifs et tendres.

La « côte sauvage » a beau être abrupte, les falaises redoutables, les récifs dangereux, le vent souvent brutal et les rouleaux de Donnant provoquer chaque année quelques noyades, tout ce qu'il y a ici de violent est adouci par les plages de l'autre côté, par les vallons boisés, par ce qui est la campagne. J'aime que cette île soit d'agriculteurs plus que de pêcheurs. On y bat le blé, on y voit des chevaux de labour indifférents aux mouettes et à leurs cris. On y voit des poulains tout frais. On n'attache jamais un poulain à un piquet. Sa mère en tient lieu, qui n'est pas bien loin.

Tout cela je le retrouve quand je descends dans le jardin. B. m'y rejoint. Je lui dis : « Imagine-toi que cela fait dix ans que nous venons ici. Dix ans. » Comme si la durée d'une liaison garantissait qu'elle ne pourrait jamais prendre fin. Je m'aperçois, entendant ce chiffre, qu'il correspond au temps passé dans la villa sur la Manche, le temps des vacances d'enfance. Et c'est bien ce temps à part, cette saison échappant aux trimestres scolaires, que je retrouve dans l'île où, chaque été, je rencontre les mêmes amis que, comme ceux de là-bas, je ne vois guère le restant de l'année, une fois de nouveau soumis aux rigueurs de l'emploi du temps et à la tyrannie du calendrier. Je me plongeais, au cours de ces années lointaines, dans *Vingt Mille Lieues sous les mers,* cet été, c'est dans *Le Livre des Nuits.* Le whisky du soir a remplacé le sirop de cassis du goûter mais j'ai la même surprise joyeuse à retrouver ma petite table près de la fenêtre qu'autrefois ma bêche rouillée et ma bicyclette à roue fixe.

À roue fixe : étrange alliance de mots, si étrange, si absurde que je me demande en les écrivant si je ne fais pas erreur, mais qui dit bien ce qui nous rend certains lieux si précieux et leur assure, en dépit de tout, une existence inaltérable. Avec eux, grâce à eux, ce qui bouge et ce qui demeure vont de pair. Nous sommes très exigeants : il nous faut la roue pour nous entraîner et le fixe pour assurer une permanence, nous voulons l'aérien et le terrestre, l'emportement du vent et l'eau qui porte, nous n'aspirons pas à l'amour qui, prétendant nous combler, une fois pour toutes, mettrait fin à tout mouvement mais à celui auquel il est bon de croire pour avoir une chance de le connaître, cet amour qui au long des jours et des nuits renouvelle le don de vie.

Parfois, quand j'emprunte le sentier qui borde les falaises, j'ai une pensée pour le docteur Beaune. Sans comprendre pourquoi : je ne l'ai jamais vu que deux fois, il ne m'a pas fait une si forte impression, il ne m'a rien dit d'extraordinaire. Et pourtant je me dis que c'est peut-être bien à lui que je dois cet été particulièrement lumineux où je me sens léger, mobile, prêt à tout accueillir de ce que m'offre, généreusement, l'île.

Je me demande où il passe ses vacances. Je l'imagine, lui aussi, dans une île, j'imagine qu'il y est seul, qu'il marche à pas vifs sur la plage à marée basse, qu'il nage longtemps, qu'il écoute le soir de la musique ou joue aux cartes dans un café près du port avec les habitants du lieu qui ne savent pas qu'il est médecin, qui ignorent tout de lui, même son nom – et cela lui plaît, infiniment.

3

Nous marchons sur le même trottoir, Beaune et moi. Il me demande de mes nouvelles. Je n'ose pas lui demander des siennes. Je le trouve amaigri et, comme disait autrefois ma mère, une « petite mine ». Mais je répugne à penser *mon* médecin malade – car je ne doute plus que j'aie désormais trouvé mon médecin, que j'aie ou non besoin dans l'avenir de recourir à ses services. Médecin, malade, cela doit faire deux, pas un.

Nous avons une habitude commune, celle de prendre notre café au *Café de l'Oubli*. D'abord « Bonjour, comment ça va ? », face au comptoir. Puis, autour d'une table, des amorces de conversation. « Qu'est-ce que vous faites ? » Je lui dis que j'enseigne, que j'ai écrit quelques livres, sérieux, que j'en ai un, en cours, sur la question du Temps. Il me dit qu'il s'est intéressé à la métaphysique il y a bien longtemps de cela. Il demande : « Vous avez des enfants ? » Il me dit qu'il a un fils, qui poursuit des études d'architecte au Canada. Je le sens réticent, il ne se dérobe pas. Simplement, questions, réponses, ce n'est pas son affaire. Ni la mienne. Je n'ai que faire de recueillir des informations sur Beaune, d'obtenir des confidences, ce n'est pas cela que j'attends de lui. Les mots que nous échangeons sont maigres, nos rencontres brèves et pourtant, plus le temps passe, plus je m'attache à cet homme. Je m'attache à lui, c'est indiscutable. Il me semble que de son côté il a plaisir à venir vers moi quand, au café, je suis installé avant qu'il n'y arrive.

C'est toujours de façon indirecte que je peux l'approcher. Je pense qu'il doit avoir des patients qui, comme lui, n'abordent jamais de front ce qui les amène : « Un de mes amis vient de faire un infarctus, pourtant son électrocardiogramme était parfait, il se portait on ne peut mieux. » « Je lisais dans un magazine, en vous attendant, un article sur les méfaits d'un médicament qui provoquerait des troubles sexuels. Ils sont fous, les journaux, on ne parle plus que de ça. »

Il nous faut nous présenter sous un masque. Moi-même qu'avais-je fait d'autre, quand j'étais allé consulter le docteur Beaune, me plaignant de mon mauvais sommeil, de ma fatigue alors que je ne savais pas mettre un nom sur ce qui, insidieusement, comme un produit corrosif à action lente, réduisait ma vie à une succession de jours dont l'un effaçait l'autre, à une addition de tâches juste destinées à me protéger d'une vacuité égale à rien. Beaune n'avait pas mis de nom sur ma plainte mais je me souviens que, dans une des quelques phrases qu'il avait prononcées, il y avait ces mots : « vous et moi ».

Entre dans le café un homme d'une quarantaine d'années qu'accompagne un petit garçon blond à la tête toute ronde. Le petit garçon tient son père par la main. C'est son père, pas de doute là-dessus. Beaune n'écoute plus. Son regard ne quitte pas le père et le fils.

Une jeune fille plaisante avec le patron. Le tissu de sa robe est léger, ses bras nus sont encore dorés par le soleil de l'été. Elle rit. Tout son visage rit. Beaune dit : « Pourquoi ne savons-nous plus rire comme ça ? »

Une femme qui, elle, n'est plus toute jeune s'assied à la table voisine. Elle vient chaque jour. Elle reste là des heures, toujours seule. Elle commande un Martini, puis un autre. Beaune se détourne : « Je n'aime pas voir ça. »

Au fond de la salle, trois hommes parlent fort. Ils sont joviaux, sympathiques. Ils ont bien déjeuné, c'est visible. L'un d'eux dit : « Dans ma boîte, j'ai fait le compte, il y a plus de cinquante pour cent de Juifs. » Beaune dit : « Allons-nous-en. »

Chaque jour, je passe un moment avec lui.

Quand il me dit : « Il faut que j'y aille, un malade m'attend », j'ai besoin de croire qu'il me quitte à regret.

À travers la vitre, je vois l'autobus vert qui passe, celui qui remonte la rue de la Roquette, fait halte au Père-Lachaise et s'arrête place Gambetta.

4

Lettre recommandée avec accusé de réception. Mauvais ça, toujours mauvais. Quelle accusation va-t-on porter contre moi ? J'ouvre la lettre, elle est d'un certain Maître Nicoleau, elle m'enjoint de lui remettre « dans un délai maximal d'un mois les clés de l'immeuble que votre propriétaire, Mme Racard, a eu l'obligeance de vous louer l'été dernier ». L'immeuble, la petite maison bien-aimée de l'île ! L'été dernier, mais non, pendant dix ans, toute une vie, vous m'entendez, infâme Nicoleau ! L'obligeance, ingrate Racard, moi qui ai repeint les volets, taillé les rosiers, changé les chéneaux, déraciné les ronciers, moi qui ai sauvé, je dis bien sauvé, cette maison que vous laissiez à l'abandon !

Je pèse chaque mot de la lettre du notaire, pour un peu j'appellerais à la rescousse Michael Kohlhaas afin d'infliger à ces scélérats sans foi ni loi une vengeance impitoyable. On me chasse, on m'expulse. Je dis à B. : « C'est trop injuste à la fin. » Ce sont des mots d'enfant, je le sais. Et alors ! B. me répond tranquillement : « Cela devait arriver un jour ou l'autre. Tu sais bien que Mme Racard n'a jamais voulu établir de contrat, qu'elle disait toujours : " À quoi bon un bail, entre nous la confiance règne, n'est-ce pas ! " »

B. ne comprend pas ma rage, mon abattement. Elle tente de me calmer : « Il y a des situations plus dramatiques, quand même. » Cela aussi, je le sais. Et alors ?

Je passe par cette alternance de sentiments que l'on éprouve quand se rompt un amour, sans qu'on l'ait voulu et sans qu'on puisse saisir le vrai motif de la brisure : on se sent arraché à ce qui était sien, à ce qui était soi, amputé à vif d'un morceau de chair et puis on s'accuse de ne pas avoir tout fait pour la garder, cette femme qui vient encore vers vous, mais c'est pour vous dire qu'elle s'en va. Et puis vient le moment, qui ne dure pas, où l'on se dit qu'il y a maintenant place pour autre chose, qu'après tout la monotonie s'installait, qu'il y a mille femmes aimables – ou qu'il n'existe pas qu'une île, pas qu'une lumière au monde. Et qu'on est propriétaire de rien, pas même de soi.

« Ça n'est pas dramatique », a dit B. et je vois bien ce que ma réaction a d'excessif, mon indignation de démesuré. J'entends déjà les sarcasmes : « Un peu de décence quand même. Pense aux exilés, aux déplacés, à ceux qui ont tout perdu ou, pire, à ceux qui n'ont rien à perdre. »

Mais moi, je pense à mon ami Jacques qui a mis des années à se remettre de la mort de son chien. On s'en est moqué par-devers lui : « Que d'histoires pour un chien ! » Pourquoi faut-il que certaines peines soient reconnues comme légitimes, que d'autres soient inavouables ?

Je n'irai pas porter ma plainte ailleurs.

J'entrevois ce qui la provoque. C'est que la mémoire des lieux m'est devenue plus assurée que celle des personnes que j'ai pu connaître. Elle est le remède que j'ai trouvé au morcellement des jours aussi bien qu'à leur répétition. Avec elle, le temps trouve un ordre qui est le mien. Cette mémoire-là est le fond du tableau sur quoi je peux dessiner les visages, elle est la musique sur quoi se détachent les voix singulières.

« Tu te souviens, tu habitais rue Poliveau, face aux serres du Jardin des Plantes, j'étais encore dans ce vilain appartement de la rue Notre-Dame-des-Champs d'où je pouvais voir, quand je me penchais par la fenêtre, les enfants sortir en courant de l'École alsacienne. »

« Tu te souviens de cette chambre d'hôtel où une énorme baignoire trônait au milieu de la pièce ? Et de celle de la Pensione Seguso un peu en retrait de la Giudecca ? Et de celle sous les combles à Rome où le spectacle était celui des draps séchant sur les toits et de la cellule du monastère à Valladolid et de la minuscule pièce à Hans Crescent, plus étroite qu'une cellule, où quand l'un était debout, l'autre devait rester couché, et de la tente hâtivement plantée sur les pentes du mont Aigoual quand l'orage menaçait ? »

Se souvient-elle ? Se souviennent-elles ? De cela ? Improbable. D'autre chose peut-être. La mémoire pas plus que la douleur ou le rêve ne se partage. Avec ces pays, ces maisons, ces chambres, c'est chacune de ces femmes que je garde en moi alors que des mots échangés, des disputes, des étreintes, que reste-t-il !

5

Ce sont les derniers jours de l'année. Je suis revenu prendre quelques affaires. Pour la dernière fois j'enfonce la clé rouillée dans la serrure.

Je suis sans rancœur, à peine triste comme la pluie fine qui ruisselle sur mon visage et donne de la douceur aux choses. Je me dis que l'île n'est plus ce qu'elle était, qu'y poussent comme des champignons de hideux pavillons de banlieue, que d'immenses hangars nommés supermarchés y attireront bientôt les moutons humains tandis que disparaîtront ceux qui paissaient sur la lande.

Quand je suis sur le pont de *L'Acadie,* au petit matin, cherchant en vain, tandis que la côte s'estompe sous la pluie, à repérer la petite maison, je ne sais plus si c'est elle qui s'en va ou moi qui la quitte.

C'est un verbe anglais qui me vient alors à l'esprit : *To vanish* qui n'est pas tout à fait s'évanouir ou s'effacer ni disparaître. *The Lady Vanishes,* c'était le titre d'un film vu il y a fort longtemps.

J'en ai oublié l'action mais le titre m'est resté. Ainsi va la vie, me dis-je, la mienne du moins : les êtres que nous aimons s'en vont, ils s'éloignent de nous, je m'éloigne d'eux, nous les perdons de vue, les lieux où nous avons été heureux sont occupés par d'autres, ce que nous appelons notre mémoire n'est peuplée que de fantômes mais elle en est peuplée, preuve que rien de ce qui a compté pour nous ni personne ne disparaît à jamais. Si le temps ne passait pas ?

La passerelle de *L'Acadie* tremble légèrement sous mes pieds. Les croissants que m'apporte une souriante serveuse sont encore chauds. J'abandonne ma lourde valise – qu'en ai-je à faire après tout ? – et me dirige d'un pas allègre vers la gare, ne voulant garder dans mon sac de toile que la petite maison plus aimée encore, plus proche et vivante, d'être devenue définitivement imaginaire.

Jeunesse de Conrad et *La Mort à Venise,* ce sont les deux seuls livres que j'ai extraits des rayonnages de ma chambre de l'île. Pourquoi ces deux-là ? Quel rapport entre eux, entre le jeune marin seul au monde et le vieil et célèbre écrivain ? Entre les épreuves que chacun d'eux traverse ? Entre le commencement de la vie et sa fin ?

Je perçois bien une ressemblance entre la combustion spontanée de la soute du rafiau allant vers l'Orient et le choléra asiatique qui hante en secret la lagune. Mais je me dis qu'il doit y avoir quelque chose de plus troublant pour moi dans

141

ces livres que j'ai tant aimés, quelque chose qui serait l'*apparition*.

Seul dans mon compartiment, je relis ces lignes de *Jeunesse,* quand le narrateur touche enfin le sol de ce qui n'a cessé de l'aimanter : « Le mystérieux Orient était devant moi, parfumé comme une fleur, silencieux comme la mort, sombre comme un tombeau. Et je restais là, exténué au-delà de toute expression, et extasié comme devant une profonde, une fatale énigme. » Aussitôt me revient en mémoire la fin de *La Mort à Venise,* l'image spectrale de Tadzio s'évanouissant dans la mer.

Et voici que ces deux mots *apparaître disparaître* n'en font plus qu'un et que, bercé par le mouvement du train, je m'assoupis, mais naviguant dans mon rêve avant de plonger dans le sommeil. Le rêve de cette pure merveille, de cette « fatale énigme » : l'union fragile de l'éternel et de l'éphémère.

6

Des semaines passent. Je ne vois plus Beaune. Peut-être ne fréquente-t-il plus le même café. Mais je ne le croise pas non plus dans la rue. Peut-être a-t-il changé ses habitudes ?

Des mois passent. Peut-être a-t-il changé d'adresse ?

Je me décide à téléphoner au cabinet de la rue de Grenelle, demandant à parler au docteur Beaune. Une voix inconnue me répond : « Vous faites erreur. » J'insiste. « C'est ici le cabinet du docteur Tréboul. Vous voulez un rendez-vous ? » Je me retiens de dire : « C'est avec Julien Beaune que j'ai rendez-vous. Avec lui. Il m'attend. »

J'appelle mon amie Marianne. Sait-elle quelque chose ? « Effectivement, il y a un certain temps que je ne l'ai pas vu. Mais, si tu veux, je peux t'indiquer quelqu'un d'autre. Pourquoi, tu es malade ? – Non, je ne suis pas malade. » Je ne lui dis pas pourquoi Beaune me manque. D'ailleurs, je n'en sais rien.

Marianne me dit : « Il a sans doute pris sa retraite. Ou bien rappelle-toi, tu l'avais trouvé amaigri, mal en point, si c'était lui le malade ? » Sèchement, je réponds : « Impossible. »

Je préfère l'imaginer dans quelque contrée lointaine, sur quelque terre étrangère, auprès de populations déshéritées qu'il soigne, ou dans un pays déchiqueté par la guerre. Je ne l'imagine pas mort, je sais que Julien Beaune n'a fait que disparaître. Je suis le seul à le savoir. Un homme disparaît, *vanishes*.

Il s'absente. Il est là.

J'en ai fini avec ce que je peux dire de Julien Beaune. Mais reste en moi comme un refus d'inscrire, de prononcer, le dernier mot, d'assigner une fin à ce qui est et doit demeurer sans commencement. Fin, commencement, ce sont là des marques que le temps ignore, que je veux, que j'aimerais tant récuser.

Qui m'a dicté ces pages aux voix entrecroisées ? Un père ? Le mien, le « Lieutenant », celui, sans nom, de Samuel Friback ? Quel mort ou quel disparu ? Ou quel fils apparu ? À moins que ce ne soient des femmes, Laurence, Françoise, Laura, Gaieté ? Celles que j'ai rencontrées, aimées, délaissées — ou qui m'ont planté là ? Autant de visages et de corps, autant d'ombres, autant de fantômes.

Si, dans ce cahier, recouvert de moleskine noire, où j'ai tracé des signes minuscules ne résidaient que des fantômes auxquels j'aurais voulu, pour quelques heures, obstinément, donner chair ? Si je n'avais écrit qu'une lettre qui, enfin, aurait quelque chance d'atteindre son destinataire ?

Je referme le cahier de moleskine. J'éteins la lampe. Je sors de mon bureau que je n'ai guère quitté depuis cette fin de journée où j'ai inscrit « J'ignore son nom » : un besoin très vif de respirer, le besoin de ce changement d'air, qu'un certain jour m'avait prescrit le nommé Beaune...

À peine suis-je dans la rue que j'entrevois, venant du boulevard, celui que je nomme « le passant ».

Nous le croisons souvent, nous, les habitants du quartier. Il marche à si vive allure qu'on n'imagine pas d'homme plus pressé que lui. Sans aucun doute se hâte-t-il vers un rendez-vous d'importance capitale dont son sort dépend. On le voit venir de loin mais ce n'est pas l'extrême rapidité de son pas qui attire l'attention. On entend d'abord sa voix, une voix qui ne cesse pas de crier, une voix qui invective. On ne perçoit pas de paroles distinctes, non que l'homme n'articule pas mais sa voix est trop forte, elle couvre les paroles. On n'entend rien de ce qui est dit, il passe trop vite et la voix est trop véhémente.

Il emprunte souvent la rue où j'habite. À l'allure où il va, celle d'un chasseur à pied montant à l'assaut, il doit pouvoir parcourir toutes les rues de la ville dans la journée. Et recommencer le lendemain. À moins que la ligne qui partage le jour et la nuit n'existe pas pour lui. À moins qu'il ne soit enfermé dans un asile, dans une prison, ne soit séquestré dans une cave, dans un débarras, un réduit, enfermé dans une cage, ligoté dans une camisole, caché dans une caverne, blotti dans la tranchée sous le feu des obus, enfoui dans un trou, et qu'il ne se livre à ces folles déambulations, ne se jette dans cet itinéraire en tous sens que les jours où il bénéficie d'une permission de sortie. Car nous restons parfois plusieurs semaines, plusieurs mois sans le voir paraître, sans entendre sa voix furieuse d'imprécateur, de maudit, son cri d'oublié des dieux.

Nous sommes habitués. Si nous nous écartons de lui, ce n'est pas par peur, simplement nous lui laissons le passage comme on le ferait pour un animal à la poursuite d'une proie invisible. Mais, pour lui, elle existe, il n'y a même que cela qui existe, il la poursuit avec une énergie sans mesure, il ne l'atteindra pas, mais, demain au plus tard, il recommencera, il n'arrêtera jamais sa course, il ne renoncera pas.

Sa tenue est soignée. Il porte une chemisette à manches courtes et sur le dos un sac en toile de couleur kaki. Ses yeux sont des obus pointés sur une cible inconnue. Cet homme a-t-il un regard ?

Il m'est arrivé de le suivre pour saisir au moins quelques mots, un bout de phrase. Qui invectivait-il ainsi sans relâche ? Un patron, les femmes, l'administration, la société ? La ville polluée ? Les médecins ? La police ? Les tueurs ? Les gaz d'échappement ? Non, ce ne pouvait être qu'à Dieu qu'il demandait des comptes. Soudain, je l'imaginais seul sur la scène d'un théâtre antique, vociférant devant des gradins vides, fou de douleur, de solitude. Un possédé de l'inhumain.

Une fois, j'ai cru entendre ceci : « Je ne comprends pas le monde », puis sur un ton plus bas : « Foutu. » Un instant il cessa de marcher, se retourna. J'ai espéré qu'il allait s'adresser à moi, peut-être me confier son tourment, ou bien alors il allait m'injurier pour l'avoir suivi quelques mètres. Mais il ne dit pas un mot, ses yeux ne me voyaient pas, il reprit sa marche et cette fois je fus sûr d'entendre ces mots, car il ne les criait plus. Il les prononça d'une voix très douce, comme s'il avait, pour quelques secondes, décidé de cesser le combat, de faire trêve parce qu'il n'y avait plus personne en ce monde ni ailleurs à qui adresser sa colère. Oui, d'une voix très douce, très faible, l'homme dit : « Le temps n'existe pas. » Je crois qu'il me vit à cet instant, j'étais à ses côtés. L'homme pleurait. Puis il se reprit, reprit sa marche, vociféra de nouveau « Je ne comprends pas le monde » et disparut au carrefour.

Aujourd'hui, monsieur Jean, le patron du *Café de l'Oubli* m'a dit : « Tiens, il y a bien longtemps qu'on ne l'a pas entendu, le cinglé. C'est peut-être lui le noyé qu'on a repêché le mois dernier, vous savez, celui qu'on n'a pas pu identifier. — Peut-être, dis-je, mais vous croyez vraiment qu'on ne le verra plus ? J'aurais tant aimé connaître son nom. »

Monsieur Jean me regarde d'un drôle d'air. Il a les pieds sur terre. Les cinglés, il connaît, il en fait son affaire. C'est un homme joyeux, monsieur Jean, un homme tranquille, le plus paisible de mes voisins. Bientôt il retournera, il me l'a confié, dans son village natal, près d'Espalion.

Je l'entends d'ici demander à ses poules et à ses canards comme il l'a fait, trente ans durant, à ses clients, derrière son comptoir : « Qu'est-ce que je vous sers ? »

Et si l'autre, pendant tout ce temps, déambulait

dans la ville, à jamais perdu dans son soliloque, chassant dans le noir en plein jour ?

J'imagine que le passant est las de crier, qu'il a faim et soif, qu'il tourne son regard vers moi, que ce regard muet me signifie qu'il veut parler à quelqu'un mais qu'il en est incapable, et que ce quelqu'un c'est moi.

À l'hôpital Sainte-Anne, autrefois, lors de ce qui s'appelait « Présentation de malades » j'ai entendu un homme tenir ces propos : « Je n'existe pas, le monde n'existe pas. Mon esprit a quitté mon corps. Je ne sais plus si je suis mort ou vivant. Je ne puis rien comprendre. Je suis disparu et tout le monde est disparu. »

Le patron du service, un Méridional replet qui passait pour être un gros mangeur et un bon buveur – le portrait craché de monsieur Jean –, n'en croyait pas ses oreilles. Il poursuivait l'interrogatoire et l'autre, calmement, reprenait : « Je ne peux plus penser, je n'ai plus de cœur, j'ai quelque chose qui bat à sa place. Il n'y a ni mort ni vivant, c'est l'éternité. » Il me semble que le médecin incrédule perdit de sa faconde. Une minute. Après quoi, il partit déjeuner.

Me voici attablé à la terrasse du *Café de l'Oubli*. Entre mémoire et oubli je ne fais plus de différence. Maintenant j'ouvre un livre à la couverture bleu marine, le livre d'un ami. Souvent j'ouvre un livre comme ça, au hasard d'une page, prêt à tomber pile sur quelque révélation. Je trouve ceci : « Le fou est dans la compagnie des morts. Il a son visage tourné vers l'ombre. Plus rien ne lui arrive que du passé. Il ne peut se fier ni à rien ni à personne, il ne peut nouer aucune histoire vivante avec les vivants. » Je me balance légèrement sur ma chaise de rotin comme, depuis toujours, j'oscille entre gaieté rieuse et douce mélancolie. Avec un voisin venu me rejoindre, j'échange quelques propos sur le temps qu'il fait – « Ça y est, voici le printemps ! » –, sur le temps qui passe et le temps qui ne passe pas.

L'homme que j'appelle le passant se joint à nous. Il dit qu'il a grand soif et qu'il mangerait bien quelque chose. Il n'y a plus trace de sa fureur dans sa voix. Il dit que le soleil réchauffe, que l'air est vif. Son regard va d'un chien noir qui court, égaré, dans la rue, aux feuilles naissantes des platanes du boulevard, puis revient sur le chien errant et s'y attarde. Sans aucun doute trouve-t-il notre conversation un peu niaise mais il est là, avec nous.

Monsieur Jean s'avance vers nous, ses clients. C'est au moment même où il demande « Alors, qu'est-ce que je vous sers ? » que le passant, en souriant, pose sa main sur mon épaule et me dit à voix basse son nom – que je garde pour moi.

DU MÊME AUTEUR

Aux Éditions Gallimard

APRÈS FREUD, 1968, coll. « les Essais », repris dans « Tel ».

ENTRE LE RÊVE ET LA DOULEUR, 1977, coll. « Connaissance de l'inconscient » repris dans « Tel ».

LOIN, *récit,* 1980, repris dans « Folio » (n° 2332).

L'AMOUR DES COMMENCEMENTS, 1986 (Prix Femina-Vacaresco), repris dans « Folio » (n° 2571).

PERDRE DE VUE, 1988, coll. « Connaissance de l'inconscient ».

Chez d'autres éditeurs

VOCABULAIRE DE LA PSYCHANALYSE *(avec Jean Laplanche), Presses Universitaires de France,* 1967.

FANTASME ORIGINAIRE, FANTASMES DES ORIGINES, ORIGINES DU FANTASME *(avec Jean Laplanche), Hachette,* 1985, coll. « Textes du xxᵉ siècle ».

LA FORCE D'ATTRACTION, *Éd. du Seuil,* 1990, coll. « La librairie du xxᵉ siècle ».

Composé et achevé d'imprimer
sur Roto-Page
par l'Imprimerie Floch
à Mayenne, le 15 décembre 1995.
Dépôt légal : décembre 1995.
Numéro d'imprimeur : 38447.
ISBN 2-07-074424-8 / Imprimé en France.